「ナースチャ！」

「なあに？　ジュリア」

伏し目がちの大きな瞳が、ちらりと上目遣いに但馬を捉えた。

目にかかるほどに伸びた前髪の隙間から、広いおでこが覗いている。

思わず絶句する。正直、ここまで美しい少女は、生まれてこの方見たことがなかった。

「俺の世界……じゃない、
俺の国には古代に建てられたピラミッドってでっかい建物があってさ。
口減らしにあった三男坊四男坊なんかが働きにきて、
みんな玉葱を担いで家に帰ったわけだ」
「そう考えると面白いだろ。
この玉葱が、古代では金貨の代わりだったんだぜ？」
語る但馬の話を黙って聞いていたアナスタシアは、
相変わらず、眉毛が困ったまんまの独特な無表情で言った。

「みんな……家に帰ったの？」
「え？」
「食べるものが無いから家から追い出されたのに、
食べ物を持ってどこに帰ったんだろう……」

「クラウ・ソラス！」

今度はブリジットが二人をかばうように、目の前に立ちふさがり、それと対峙した。

彼女が背中の大剣を引き抜くと、さっき見たのと同じような緑色のオーラを振りまきながら、
ブーンという振動音が聞こえてきた。剣の周囲が蜃気楼のように歪んで見える。

なんでこんなものが、中世みたいなこの世界にあるんだ……？

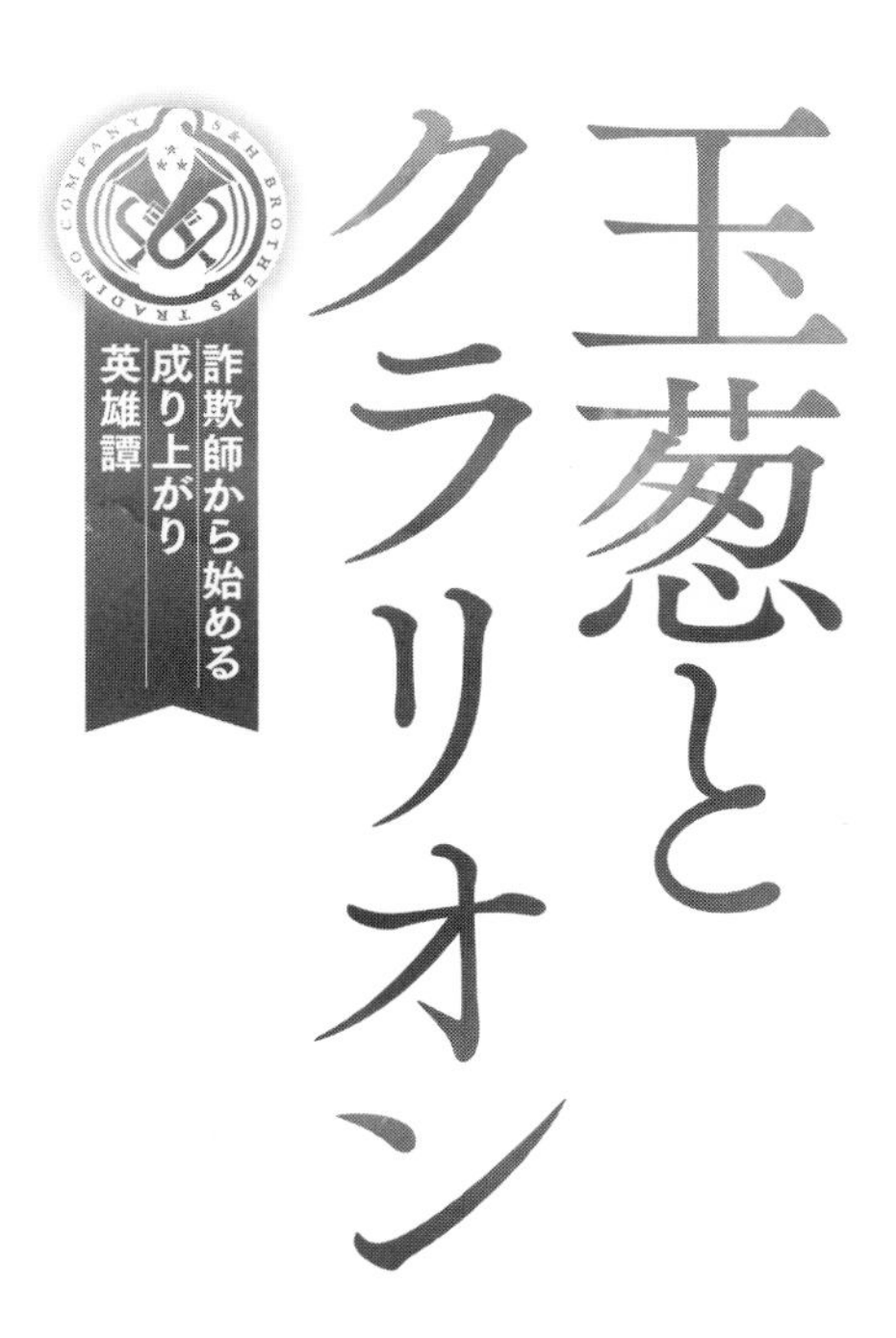

玉葱とクラリオン

2

水月一人

illustration 黒田ヱリ

口絵・本文イラスト　黒田ヱリ

一章

一章　6・水車小屋って

目覚めたら、無骨なコンクリートの天井が目に飛び込んできた。

「知らない天井だ……」

などとお決まりのセリフを呟いてはみるが、ぶっちゃけ、ここがどこかはすぐに気づいた。

硬い寝台の上で寝ていたせいで、じんわり痛む腰を擦りながら上体を起こすと、鉄格子付きの扉が見えた。首をポキポキ鳴らし、大あくびをかましながら、今度は背中をボキボキ鳴らす。そうやって体を解していたら、急にグルグルと目眩がしてきて、最後にズキズキと頭痛がしてきた。

この痛みも身に覚えがある。二日酔いだ。

「いたたたた……昨日、どうしたんだっけ？」

但馬波留は眉間をグリグリ指圧しながら、昨日のことを思い出そうとした。

ネズミ講をやっていたことがバレて近衛隊にとっ捕まった彼は、国王に呼び出されてお説教をされた上に、全財産を没収されて街に放り出された。肩を落としてホテルに戻ってきたら、騒ぎのせいで営業停止に追い込まれたホテルの支配人に宿泊拒否され、有無を言わさず水をぶっかけられた。

あの野郎、ぜってえ許さねえ、死ねファックと罵詈雑言を並べつつ、行くあてもないのでブラブラしてたら、そのうちインペリアルタワー前の中央広場にたどり着いた。

月が二つあるせいか、この世界の夜は明るく、広場は終夜営業の屋台で賑わっていた。酒を酌み交わす楽しげな声が焚き火を囲み、あちこちから香ばしい匂いが漂ってきて、腹の虫がグーグー鳴いて仕方なかった。

今回の件ですっかり有名人になってしまった彼が物欲しそうに眺めていると、ホテル前でデモをやっていた愚民どもが目ざとく見つけて難癖をつけてきたので罵倒し合いつつ、そんな彼らの姿を恨めしそうに横目にしながら、今晩の寝床にしようと適当な植え込みに潜り込もうとしたところで、見かねた屋台の店主が声をかけてくれて一杯引っ掛けたところまでは覚えている。

多分、その後、酩酊して色々やらかしたのだろう。人が集まる広場の前には、派出所みたいに憲兵隊の詰め所があった。ここはその中にある留置所というわけである。

「いてててて……」

と、そこまで思い出したところで、急に便意を催してきた。ズキズキする頭を抱えながら、留置所の隅っこにあるOMRの上に跨ってズボンを下ろす。

この他人の排泄物の痕跡生々しいOMRで用を足すことにも、すっかり慣れてしまった。他に選択肢もないし、街を歩いてるとたまにウンコの匂いが漂ってくるから、慣れないわけにはいかないといった感じだろうか。

ただ、未だにケツを拭くたびに情けない気持ちが去来してくるので、但馬は出来るだけキレの良いウンコをすることを心がけていた。なんなら拭かないでいいくらいスポンと飛び出るのが理想だ。

……それにしても今日はまた見事な一本糞である。

これは、巻き糞チャンスという奴だろうか……？

「おい詐欺師、面会だ」

便器の上で腰をグルングルン回転させていたら、看守がブリジットを連れてやってきた。

「ちょっと待っててくれる？　今、いいところなんだ」

二人は何も言わずに去っていった。

＊＊＊

「ねえ、見た？」

「え？」

「俺の……大きかったろ？」

「知りませんよ！」

自慢の一本糞の感想を求めたら、何故かブリジットの顔が真っ赤に染まっていた。

そんな彼女と連れ立って詰め所から外に出たら、太陽はとっくに中天近くまで昇っていた。見上げる太陽が、まっ黄色に見える。どうやら未だ酒が抜けきってないらしい。ズキズキと痛む眉間をモミモミしながら、フラフラと目の前の公園へと足を運ぶ。

昨晩、世話になった屋台のおっちゃんを捜してみたが、昼と夜とでは屋台の種類が入れ替わっているらしく、どこにも見当たらなかった。また夕方にでも来てみようと思いつつ、但馬は手近にあったベンチにどっかと腰をおろした。

「うぇ～……」

憲兵所から数メートル歩いただけでもう息切れがした。都会の喧騒がキンキンと頭に響いてくる。こうなることは分かっているのに、どうして人は飲まずにいられないのだろうか……？

そんな哲学的なことを考えつつ、新鮮な空気を取り入れようとして深呼吸したら、かえってそれが止めを刺したようだった。但馬は植え込みに向かってゲーゲー吐いた。ところでここって、昨日寝床にしようとしてたところじゃなかったっけ……？

「あー、もう、仕方ないですねえ……素晴らしき友なるイエスよ　我が罪　苦しみを拭い去れ　神へ繋がる全てのものに　我は祈り捧げるものなり……」

新居の床にいきなりゲロをぶちまけてしまったような罪悪感に駆られていると、ブリジットがなにやらごちゃごちゃ言い出して、気がついたら気分が良くなっていた。もしかして、これがヒール魔法という奴だろうか？　切り落とされた兵士の指がニョキニョキ生えてきたあれだ。但馬はクリスチャンじゃないが、ちゃんと効いている。なんか凄い。

「ありがてえ、だいぶ気分良くなったよ」

「先生、弱いんですから、程々にしてくださいよ。普通、こんなことに魔法は使わないんですからね」

「ところで、俺になんか用？　留置所にいるのよく分かったね」

「それなんですけど、このたび軍から正式に、先生の監督役に任命されまして……」

彼女の言うことを要約すると、こうである。昨日の呼び出しで、国から正式に危険人物認定された但馬には、監視役という名の飼い主がつけられることになり、彼と親しい軍属で、たまたま階級が一番上だった彼女が任命されたとのことである。

まあ、どうせ嘘だろう。

但馬は気のない返事をしながら、左のコメカミをポンと叩いた。

『Bridget_Gaelic.Female.Human, 152, 48, Age.17, 92G, 59, 88, Alv.9, HP.174, MP.18, None.Status_Normal,,,,,』

実を言えば、前から疑問に思っていたのだ。彼女は初めて会ったとき、自分のことをブリジット・ゲールと名乗っていた。しかし、こうしてステータスを確認してみれば、彼女のファミリーネームはゲールじゃなくゲーリックとなっている。

事情を知らなかった時は省略してるのかな？　としか思わなかったが、昨日、国王に会って理由が分かった。確か、国王の名前はハンス・ゲーリックだったはずである。

「ふーん……一緒にとっ捕まってた奴に見張らせるなんて、恐ろしく寛大な軍隊だな」

「うっ……」

返答に詰まる彼女をジト目で見つつも、但馬はそれ以上突っ込まないことにした。

このタイミングで現れたということは、恐らく、国王から直々に頼まれたのだろう。ある意味、但馬を監視するのにはうってつけの人材といえる。それにしても、シモン達と違って身なりがいいと思っていたが、まさか王族関係者だったとは……。

ところで、監視をつけるということは、但馬はまだ余り信用されていないということだろうか？　早めに結果を出さないとまずいことになるかも知れない。とにかく、彼女がやってきた経緯は把握したので、

「まあ、いいや。早速役に立ってくれたしね」

「本当ですよ。なんでまた捕まってるんですか」

「憲兵に言ってくれ。つーか、俺がこれから何やるか聞いてるんだよな？」

「あ、はい。えーっと……何でも紙を製作するとか」

　昨日、呼び出されたのは、ネズミ講のことでお小言をもらうためだけではなかった。その際、国王は但馬に、紙の作り方を知ってるなら教えてくれと依頼してきたのだ。

　ケツを拭く紙がなかった時点で、多少覚悟はしていたが……やはりこの国、というか、この世界には植物を原料とする紙が存在しないらしかった。

　庶民の筆記具は今でも粘土板や木の板に頼っており、羊皮紙は公文書に使われる非常に貴重な代物のようである。大金を所持していたせいで金銭感覚が狂っていたが、やっぱり初めにぼったくり価格と感じたのは正しかったようだ。面倒だから地球と同じく金貨一枚を十万円で換算すると、銀貨は十枚で金貨一枚、羊皮紙は五枚で銀貨一枚だから、Ａ４サイズの羊皮紙一枚が二千円という計算である。

高い高いと思ってはいたが、本当にしゃれにならないくらい高かった。おしりセ◯ブも裸足で逃げ出す高級品だ。そんな貴重品をアホみたいな理由で大量に浪費した挙げ句、終いにはトイレットペーパーの代わりにならないかな？　と試したことすらあったのだ。因みに拭き心地はいまいちだった。厚手の羊皮紙は太鼓の皮に使われるといえば、なんとなく想像がつくだろうか？

　ともあれ、但馬が羊皮紙を買い占めたせいで、今この国の紙市場はスッカラカンなのだそうな。このままでは公務にも支障をきたすので、知ってるなら早くなんとかしろと嫌味を言われた。

　お怒りはごもっとも……逆にいえば、これを商売にしない手はないだろう。

　実際のところ、ケツを拭く紙が欲しいとは常々思っていたから、いずれはなんとかするつもりであった。そのうえ、国王が開発費も負担してくれ、給金も出て、成功したら販売権とボーナスまで付けてくれるというのなら、乗らない手はないだろう。

「でも本当に作れるんですか？」

　と疑わしそうな視線を向けるブリジットに対し、

「あたぼうよ！　俺の国じゃ小学生でも作ってたんだぜ？」

　但馬は二つ返事で受けあった。

実際、紙製作と言えば小学生の夏休みの自由研究の定番である。学校によっては、図工の時間や書道の時間に、和紙を作ったりする授業もあるらしい。

紙の作り方はいたって簡単。材料となる古紙やボロ布を煮溶かしてパルプ状（ドロドロのおかゆみたいな状態）にし、簾ですくって平たく延ばしたものを、日光やドライヤーで乾かしたら完成だ。紀元前に中国で発明されてから、その製法は変わっていない。

尤も、この際使われるパルプは、再生パルプと呼ばれる、元々紙だったものを溶かしたものであって、実際の紙作り（紙漉きという）で使われるものは、もうひと手間かけている。今回、但馬がやろうとしてるのはそっちの方で、少々厄介ではあったが、まあ、なんとかなるだろうと踏んでいた。

ところで、製法を知ってしまえば、この程度のことがどうしてこの世界では発見出来なかったのかと首を捻りたくもなるが……実際問題、現実の世界でも紙が世界中に広まるのには、実に千二百年もの時間がかかったのだ。

大昔、東西の交流は今と違って頻繁ではなかったが、それでも秦の始皇帝がローマからの使者と面会しているという事実から、彼らが中国の紙の存在を全く知らなかったということはないだろう。古代エジプトにはパピルスもあったのだ。

なのにその製法となると、中近東に伝わるまでにおよそ九百年を要し、イスラム世界を通じてスペインにたどり着くまで、更に三百年以上かかったそうである。

今となってはインターネットで何でも調べられるからとても信じられないが、その間、ヨーロッパではずっと羊皮紙を使っていたのだ。そう考えれば、ケツを拭くのに葉っぱを使っているこの国のことも笑えないだろう。まあ、ケツ掻き棒はあんまりだと思うが……。

昼を回ったのだろうか、辺りが喧騒に満ちてきた。

軍隊もクリスマス休戦に入った年の瀬、街は仕事納めで忙しいようである。そんな時季に、新しく何かを始めるものではないが、何しろこちとら無一文である。貧乏暇なしとはよく言ったものだ。

とりあえず、紙を作るにしても先立つものが必要である。材料を買うのと作業場を借りるのと、あとは動力の確保も必要だろう。パルプ作りで木を砕くのだが、とても人力でやれるものではない。この街を一通り見て回ってみたところ、まだ電気も蒸気機関も存在していなそうだったが、さすがに水車くらいはどこかにあるだろうと思い、

「それじゃ、まずは金くれよ。王様から預かってきたんだろ？　それから水車小屋のある場所を教えてくれないか？」

と、ブリジットに言ったら、もの凄くいやそうな顔をされた。

「……先生、こんな真っ昼間から水車小屋に行くんですか？」

彼女はなにやら非難がましい目つきで睨んでいる。なんでだ？

「水車小屋にこんな時間もへったくれもないだろう。いいから金を寄越せよ」

首をひねりつつ催促を続けると、彼女の目つきはどんどん険しいものへと変わっていった。一体、何の文句があるのだろうか？　理不尽な怒りに抗議の声を上げようかとも思ったが、まあ、自分の好感度なんざとっくのとうに、これ以上下がりようもないほど下がっているだろうから、特に気にしないでおくことにする。

そんなことより、まずは作業場の確保が急務である。動力がある場所の近くがいいから水車小屋へ案内しろと重ねてゴネたら、彼女は長い溜め息を吐いてから、無言で先を歩き出した。

本当に、何がそんなに気に入らないのだろうか？　但馬には、彼女の気持ちが分からなかったが……それにしても、いつ見ても残念な乳袋である。彼女が怒りに肩を震わせるたびに、ブルンブルンと揺れる。ブリジットは金髪でまだあどけなさの残る顔に、小柄な体躯でありながらウエストがキュッと締まって、女らしさを強調する蠱惑的なヒップライン。髪の毛はシルクのようにサラサラと風に靡いて、まるで絵画の世界から飛び出してきたような美しさを誇っていた。顔と尻だけ見てれば但馬の好み直球ど真ん中ストライクなのだが、その全てを胸の脂肪の塊が台無しにしていた。

天は二物を与えないというが、どうしてこうなったと言わんばかりのアンバランスさには溜め息しか出ない。金髪、童顔、低身長ときたら、ここは絶対貧乳だろう。膨らみかけ。これだね。なのに、なんでこんな無駄なものがくっついちゃってんだろうか。馬鹿じゃないのか……などと悔しがっていたら、突然、何見てんのよと言わんばかりに腕をクロスしながらブリジットが睨んできた。誰がそんなもの見るか糞ビッチが……。

但馬は心の中でチッと舌打ちすると、彼女を追い越すような速度で隣に並んだ。すると負けじとブリジットも歩く速度を速め、二人は険悪な雰囲気のまま、無言で、競歩みたいに街から外へと飛び出していった。

＊＊＊

街の中にも川が流れているから、てっきり城壁内にあると思っていたのだが、どうやら水車小屋は街の外にあるようだった。川幅の広い下流よりも上流のほうが流れが速いから、もしかしてそのせいかも知れない。

そんなことを考えながら川沿いを行くと、やがて舗装もされていない道の両側に、擦り切れた銅貨を入れた茶碗を持ち、わけのわからない念仏みたいなものを唱えてボロをまとったおっさん達が、あちらこちらに散見されるようになってきた。托鉢（たくはつ）というより、まんま物乞（ものご）いである。

見たところ、誰も彼もどこかしら体の一部が欠損していて、とても日本ではお目にかかれないような悲惨（ひさん）な光景がその場には繰（く）り広げられていた。彼らは但馬たちが通りすぎる瞬間（しゅんかん）だけ、露骨（ろこつ）にガン見してきて、念仏を唱える声を気持ち半音上げてプレッシャーをかけてきた。

一種、異様な雰囲気に気圧（けお）されながら、おずおずとブリジットの後についていくと、やがて集落らしき場所に出た。

しかし、その集落もまた異様である。まるで戦後のバラック小屋みたいな家々が建ち並び、明らかに内臓に疾患（しっかん）がありそうな男が死人みたいな顔をしながら地面に寝転（ねころ）がっていたり、何が悲しいのか分からないが、ひたすら涙（なみだ）を流し続ける表情を無くしたおじさんが正座していたり、やばいものを吸ってそうな男がヒューヒューと喘息（ぜんそく）みたいな笑い声を立てていたり、どう見ても堅気（かたぎ）の雰囲気ではない。

おっかなびっくり歩いていると、突然、ガタガタガタッ！　と音がして、ビクッとしてそっちを見たら、ボロ小屋がゆっさゆっさと風も無いのに激しく揺れていた。中で何をヤっているのかは言うまでもない。

不機嫌が最高潮に達したブリジットは、さっきから腰にぶら下げている剣を、貧乏ゆすりみたいにキンキンキンキン鳴らしている。

おかしい……水車小屋に連れてってと言ったはずなのだが、なんでこんな阿片窟みたいな場所に連れてこられたのだろうか……まさか、この女、最初から自分を始末するつもりだったんじゃあ……？

などと不安に駆られていると、やがて前方にそれまでとは少し違う立派な建物が見えてきた。その壁面に大きな水車が回っているのが見えて、但馬はホッと胸をなでおろした。どうやらちゃんと案内してくれていたようである。それにしても、どうしてこんな怪しげな雰囲気のところにあるのだろうか？

「はい、先生……着きましたよ。では、私はこれで失礼します！」

但馬が水車小屋を前に立ち尽くしていると、ブリジットはそう吐き捨てるなり、プリプリ怒って来た道を戻っていってしまった。

「え？　おい、ちょっと、一人で行けっていうのか!?」

慌てて呼び止めるも、彼女は一顧だにせず、肩を怒らせズンズンと歩き去っていってしまった。その背中からは憎しみがにじみ出ているような気がして、とてもじゃないが声を掛けられる雰囲気ではなかった。

え？　嘘？　こんなところに前途ある若者を置き去りにしちゃうの？　明日の朝、一人の変死体が港に上がることになったりしない……？

　やがてその背中が小さくなって見えなくなると、彼はため息を吐いて恐る恐る水車小屋を振り返った。正直、こんな場所にあまり長居はしたくなかったが、ここまで来て手ぶらで帰るわけにもいかないだろう。彼は勇気を振り絞ると、まずはとにかく水車小屋の主に接触しようと歩きかけ……。

　そのまま、ずっこけそうになった。

　転げそうになる足をどうにか踏ん張り、但馬は見上げた。その水車小屋は、どこからどう見てもただの水車小屋であったが、その前に屯する女たちが明らかにそれとは違ったのだ。

　やたら胸元を強調するボディコンみたいなドレスを着た女。但馬を見るなり、艶やかな表情と品を作る女。どこからが化粧でどこまでが地肌か分からないような、ヒゲが生えてそうなごつい女。おっぱいがポロリとまろび出た白痴みたいな女。ただただ空中の一点を見つめて、何をされても微動だにしない女。エトセトラエトセトラ。

「あら～、お兄さん。見ない顔ね。まだ営業時間外だけど、いいわよ。あなた可愛いから、お姉さんが、特別に相手してあ・げ・るっ。うふ～ん」

野太い声を隠そうともせず、ヒゲの生えてそうな女（いいや、あれはヒゲだ！）が但馬を見かけるなり声を掛けてきた。相手するって、どっちがどっちの相手をするのだろうか？

お尻のあながキュッとすぼまる。

たじろぎながら一歩二歩後退りすると……突然、見えないところから、ぐいっと袖口が引っ張られて、但馬は心臓がひっくり返りそうになった。

驚愕に打ち震えながら引かれた腕の先を見てみれば、そこにはこの場にそぐわない小さな女の子が、満面に営業スマイルを浮かべて立っていた。

「社長さん、社長さん！　いいま◯こあるよ！　いいま◯こあるよ！」

但馬は叫んだ。

「水車小屋って……売春宿の符丁じゃねえかあああああああ〜〜〜〜！！！！」

確か、フランスやアメリカではそれで通じる。

「なんでそんなマニアックな符丁だけ地球基準なんだよ！」

道理で、ブリジットの機嫌が急に悪くなったわけである。彼女は、但馬が国王に頼まれた仕事そっちのけで、真っ昼間から水車小屋＝売春宿に行くから、国王に渡された日当＝女買う金、を寄越せと言われたと勘違いしたのだ。

そりゃ怒るよ。激おこだよ……寧ろ、よくここまで連れてきてくれたよ。

言い訳をしようにも、すでに彼女の姿はなく……。

「社長さん、社長さん。いいま◯こあるよ！　ま◯こ買ってってよ！」

入れ替わりに、バブル期の東南アジアの買春ツアーみたいな呼び込みが群がっていた。

一章　7・ここは優しい世界

紙漉きのために動力を使いたいという、至極真っ当な理由で水車小屋にやってきたら、そこは世捨て人とジャンキーの蔓延る阿片窟の売春宿であった。何を言ってるか分からないだろうが、但馬にも何が起きたのか分からなかった。

なにはともあれ、怒って帰ってしまったブリジットを追いかけて今すぐ釈明しないと、ド変態の誹りを受けること間違い無しであったが、

「まあ、いいか」

但馬はさっさと諦めた。どうせ相手は９２Ｇだし、嫌われたところで痛くも痒くもない。せいぜい、今日のことを国王に告げ口されたら困るくらいのものだが、そもそも誤解なんだから、依頼を達成すれば文句ないだろう。

それより問題なのは、水車小屋が水車小屋として機能していないことだった。小屋の外壁には確かに水車が回っているのだが、それが動力として使われてる形跡はない。もしこれが店の看板というか、見た目だけの装飾だったら、とんだ無駄足である。

せっかくここまで来たというのに……もっとブリジットにちゃんと説明しておくべきだった。多分、動力を使うような、例えば製粉所なんかは、街の中に別の形で存在しているのだろう。もしかしたら『水車小屋』と言わずに、『製粉所』に連れてってと言っていれば、問題なかったかも知れない。

仕方ない。とにかく一度、街に引き返すしかない。案内役を失ってしまったのは痛手であったが、分からないことは憲兵隊の詰め所で聞けばなんとかなるだろう。常連だしな……などと考えつつ、但馬は踵を返したが、

「社長さん、社長さん。ま○こ買ってよ！　いいま○こあるよー！」

帰る気配を察知したのか、その瞬間、インドの駅前みたいに子供たちが一斉に群がってきて進退窮まった。

「わわわ、ちょっと待って……僕ちゃんは決してそういうのでなくてね？」

袖口から裾から、グイグイ引っ張られて、断ろうにも、子供たちは物乞い慣れし過ぎていて、とても太刀打ちできない。本場では目を合わせたらけつ毛まで毟られるというが、正にそんな感じである。

無防備な但馬は、あれよあれよと言う間に水車小屋の入り口まで連れてこられてしまった。

「一名様ご案内～！」

「いや、だから、違うんだってば」

　子供たちを振り切って強引に逃げることは可能だろうが、乱暴なことはしたくなかった。決して、お店に興味があるわけではなく、あくまで平和的に解決したいのだが、これは袖の下でも渡さない限り逃げられそうもないだろうか？　幸い、懐には王様から貰った金貨があるが、お釣りはもらえるだろうか……。

「まいったなあ……僕はそんなつもりないんだけど。僕はそんなつもりないんだけど」

　ところで、金貨一枚ってどのくらいのサービスが受けられるんだろうか。日本円に換算して十万円だ。かなりのことが許されるんじゃなかろうか。ここは後学のためにも、オプションの有無だけでも聞いてみようか……。

「どうしてもと言うんなら……」

　いかんいかん、但馬は首を振った。

　危ない。当初の目的を思い出せ、女を買いに来たわけではないのだ。とにかく念入りに断りを入れねば……でも、ちょっとくらい良いんじゃないか？　いや駄目だ……ちょっと気になる……気になるのだけども……心頭滅却、般若波羅蜜多、ほんにゃら産業……。

　と……但馬がどうにかこうにか克己心を奮い立たせようとしている時だった。

視界の隅に、ヌッと、でっかい影が差した。

いきなり目の前が暗くなり、なんとも言い知れぬ圧迫感を感じ、彼は恐る恐る顔をあげた。するとそこには、いつの間にか別の人が立っていた。

力士である。

「ひぃぃっ!!」

どこからどこまでが化粧なのか地肌なのか分からない、化粧と言うよりもガンプラの塗装みたいなケバケバした力士が、ニチャァァァ~……と、いやらしい笑みを浮かべて但馬のことを見下ろしていた。身長は巨漢のエリオスとタメを張り、筋骨隆々な体躯はおそらく一撃で但馬の背骨を粉砕するに違いないだろう。そんなごっついオッサンが、何故かゴスロリ衣装を身にまとい、いろんなところをはみ出させながら、横綱のオーラを漂わせていたのである。

「あら~、近くで見ると、いい男ねえ~ん。どうかしら、ボクぅ~、お姉さんと遊んでかなあ~い?」

遊ぶって何をして遊ぶんだ。ぶつかり稽古か。

「ひぃぃっ!!　殺さないでっ!!」

「失礼ね！　そんなことしないわよ~ん……お姉さんが、気持ちいいことして、あ・げ・

る♪」

　クリーチャーは但馬のことをロックオンすると、息がかかるくらい顔を近づけて、値踏みするかのようにジロジロと見ながら、妙に甘ったるい声を発した。目をつぶっていても悪夢を見そうである。こんな迫力を醸し出せる人類は、あとは和田アキ子くらいしか思いつかない。

「あ、あああのあのあの、その、僕……そんなんじゃなくって、おおお、女の人とどうこうするなんて、めめめ、滅相もないっ!!」

「やだ～！　かわいいっ！　照れてるぅ～」

「ひっ……ひぃぃぃぃ～～～！！！」

　かわいくない……かわいくないし、美味しくもないから、お願いだから掘らないで……ガクブルしながらも、但馬は左のコメカミをちょんと叩いた。

『Julia.Female.Chimera, 199, 91, Age.38, 112E, 84, 108, Alv.0, HP.1653, MP.0,......』

　この窮地を脱するために、何か有益な情報でもないかとステータスを確認したのだが、確認して絶望した。

　なんだこのＨＰは。今まで出会った人間は３桁がせいぜいだったのに、目の前の力士は軽く４桁を超えている。見た目通り、人類を超越しているのだ。もしかしてボスキャラか何かか？　データがおかしい。ドラクエをやってたら、いつの間にかＦＦになっていた、そんな感じである。

　本当に人類なのだろうか……と、戦慄していたときに、ようやく気づいた。

『Julia.Female.Chimera』

　そう、キメラである。ステータス魔法を使うと、いつも先頭は名前、性別、種族の順で表示された。つまり、彼女は文字通り人間ではない。確か、例のイルカは人間のことをモルモット、亜人のことをキメラと言ってたはずだ。

　つまり、この人は亜人であり、さらに驚きなのは、

「って言うかオッサン、あんたマジで女だったのっっっ!?」

　但馬が驚愕に腰砕けていると、彼女は頬っぺたをプクーッと膨らませながら、

「あらやだ。こんな美人を捕まえて、オッサンなんてひどくな～い？　ぷんぷん！」

　などと、図々しいことを言い出した。但馬は殴ってやろうかと思いもしたが、しかし実際、女性をオッサン呼ばわりして礼を失していたのはこちらである。ここはぐっと堪えて、非礼を詫びた方がいいだろう。というか、こんな茶番さっさと終わらせて、街に帰らねばならないのだ。

「あいや、すみません。確かに女性に対して失礼でし

て」

相手が本当に女だと分かると余裕が出てきた。そもそも、商売女であるのなら、金銭のやりとりが無ければ何かしてくることはないだろう。プロなんだから。

しかし、亜人か……亜人なら、この世界にやってきた初日にも見たことがあった。しかし、目の前の力士と、ブリジットが行殺した連中とでは、種族が同じようにはとても見えなかった。あっちは猫っぽかったのに、このオッサンはどこからどう見ても浜田である。もしかして、人間の亜種は全部亜人と呼ぶのだろうか？　だとしたら、どうしてエルフと亜人を分ける必要があるのだろうか？　なんだか分からなくなってきた……。

但馬がそんなことを考えていると、力士は感激した素振りで、

「あらボク、自分の非を認めて素直に謝れるのね。お姉さんそういう子は好きよ～ん。特別に、あなたたなら、タダで相手してあげても良くってよ～」

「ぎゃああああああ!!　断固拒否するっ！！！」

「嘘よ～ん。やっぱ失礼ね～。それに、本当はお姉さんはお客さんを取ってないの」

「あ、そうなの？」

「見てくれでわかるでしょ～？」

いや、わりとこういう力士が出てくる店もあるって聞くけど……まあいい。そんなこと

よりも、もう用は無いので、さっさとオサラバしてしまおう。但馬がジリジリとすり足で距離(きより)を取ろうとしてると、力士はふと思いついた風に、

「でも、ホント、お姉さんのこと、女性扱(あつか)いしてくれたのは久しぶりよ～ん。ちょっと感動したわ。お礼に、うちの看板娘(かんばんむすめ)を紹介(しょうかい)してあげるわね～」

「いや、いい、いいです！　必要ないから。つーか、俺、別に女買いに来たわけじゃないんだよ」

「あらやだ。照れなくていいのよ～。ここはそういうことする場所なんだから～」

「知ってる知ってる。知ってる上で違うと言ってる。とにかく、俺もう帰るから」

「ナースチャ！」

「人の話聞けよ……」

　但馬は溜め息を吐いた。面倒くさいことになってしまったが、こうなりゃもう逆らうよりも、流されてしまったほうが楽かも知れない。間違って来てしまったのはこっちなのだし、それくらいは我慢(がまん)しよう。その看板娘とやらにお断りを入れれば解放されるだろうから、ここは大人しく待つことにしよう。さて、今度はどんな力士が出てくるのやら……但馬は期待しないで待っていた。

　しかし、その予想は大きく外れた。

水車小屋の玄関から覗く暗い廊下の先から、誰かが動く気配がする。バタンとドアの閉まる音が響いて、ギシギシと床が鳴った。すると間もなく暗闇にボーっと白い顔が浮かんできて、まるで猫のような目がキラリと光った。それは幽霊のようにスーっと足音を立てずに近づいてきて、やがてその全貌を現した時、但馬は無意識にゴクリと唾を飲み込んでいた。

鈴のような声が鳴り響く。

「なあに？　ジュリア」

「お客よ。あんた、今日からまた客を取ってもらうから。いいわね？」

「うん……」

伏し目がちの大きな瞳が、ちらりと上目遣いに但馬を捉えた。目にかかるほどに伸びた前髪の隙間から、広いおでこが覗いている。眉間の皺が、困ったように歪んでみえた。まだ年も若いだろうに、その陰影は濃く、消えることがないくらい深く刻まれていた。顔は小さくて、恐ろしく均整のとれた顔立ちをしており、まるで造型師が削り出したかのような、作り物めいた美しさを湛えている。そして、こんな場所にいるくせに、信じられないくらいサラサラの黒髪が無造作に二つ結びにされ腰まで伸びて、それが体にまとわりついて、なんとも言えない色気を醸し出していた。

……これ、売春婦なの？

思わず絶句する。正直、ここまで美しい少女は、生まれてこの方見たことがなかった。それくらいの子が、今、目の前にいて、しかも、どうせやることは決まってるんでしょう？と言わんばかりの格好をしているのだ。

白のホットパンツに、アクセントにフリルがついた黒いマイクロビキニ、その上に薄手のサマーカーディガンのようなものをつけ、わざと肩をはだけて羽織っていた。少し肌に食い込むのが気になるのか、時折、手癖のようにビキニの紐を直すと、小ぶりだが形のいい下乳がプルッと震え、なんとも言えない波形を作った。肌は染み一つ無く真っ白で、手足は長く、内臓とかどこにしまってるのと言わんばかりの細い腰が、ありえないくらい高い位置に存在していた。

「ちょ、ちょ、ちょっと待ってくれる？」

これが売春しちゃいけないだろう……ハリウッドとかで、赤絨毯を踏んででもおかしくなさそうな女の子だぞ……？

信じられずにポカーンとしていたら、その様子を見た彼女が怪訝そうに首をかしげ、サラサラと前髪が音を立てた。その仕草がまた絶妙で、但馬のハートをわしづかみにした。心臓のドキドキが止まらない。

「あら～、気に入ったみたいね～ん。この子は可哀想な子なのよ～。親が借金残したせいで、こんなところで働いているのぉ～。一度は親切なお客さんから身請けが決まってね～？　足を洗ったんだけど～、それがご破算になっちゃって……またお金を稼がないといけなくなったのよ～」

そんな彼女の身の上話で、但馬はようやく我に返った。いかんいかん。もの凄く可愛いものだから、ついあっけに取られてしまったが、自分はここに女を買いに来たわけではない。決してスケベ目的で来たわけではない。断じてそんなことはあり得ない。しかし、そうか、借金のかたに親に売られてきたのか。きっと苦労しているのだろうなあ……助けてあげたいのは山々だが、しかし別に但馬はここに女を買いに来たわけじゃないから、残念だが助けられない。仕方がない。但馬が買わなくっても、別の誰かが買うだろう、きっと、人気もありそうだし。だから彼女は平気だろう。平気だが、別にそれなら但馬が買ってもいいんじゃないのか？　もちろん、自分がここへ来た目的は、動力確保という真面目なものだったが、当てが外れて今は手持ち無沙汰なこともある。そういえば、ブリジットはそもそも但馬が女を買いに来たんだと勘違いしてたようだし、そう、初めから対外的には女を買いに来ていたのだから問題はあるまい。それに考えてもみろ。一度は身請けが決まったというのに、それがポシャった。可哀相ではないか。彼女は落胆していることだろう。

だからボランティアだと思って、お金を渡したらきっと喜んでくれるんじゃないだろうか。その見返りとしてお礼を受け取っても悪くないだろう。ウィンウィンの関係だ。なんかこの場合ウィンウィンと言うとローター音みたいで卑猥だ。ところでさっきから気になっているのだが、彼女のあの小ぶりなそれは、Ｂカップではなかろうか。ＡでもＣでもない。Ｂカップである。但馬はＢカップが好きだ。Ａほど動きが少なくもないし、Ｃほど豊満感がない。もう膨らみかけのツボミというほどでもなく、かといって成長余力も残している。これからの時代を担う若人にぴったりのサイズだ。そして丁度男の手のひらにフィットするサイズがＢだとも言うし、Ｂカップを見るたびに、こう後ろからギュッと抱きしめたくなる。胸を。正に包まれるために生まれてきたサイズと言って過言ではないだろう。ああ、Ｂカップ。素晴らしきＢカップ。もしも彼女がＢカップであるならば、但馬は溢れんばかりの包容力で包み込んであげたい。ところで但馬にはステータス魔法がある。もしもそれで彼女のサイズがＢであったならば、ここは一つ温かい気持ちになって、前途ある若者を応援するのも吝かではないのではないか、そう金銭的に。Ｂカップかなあ……Ｂカップじゃないかもなあ、ちょっと自信ないなあ、Ａカップかも知れないなあ～……残念だがＡカップだったら諦めよう。というわけで、ステータスオープン、ていっ！

『Anastasiya_Shikhova.Female.Human, 157, 42, Age.14, 81B, 56, 82, Alv.0, HP.74, MP.18,

None.Status_Normal,,,, Prostitute, Lydian,,,, Prayer.lv5, Cast.lv5, Rote.lv9,,,,』

「なん……だと……」

まさか、Aカップだと思っていた少女の胸が、Bカップであった。自信はなかったが当てててしまったからには仕方ない……とか言ってる場合じゃない。

「ジュリアさんジュリアさん？」

「なにかしら～ん？」

「彼女、いくつなの？」

「上から81B、56……」

「スリーサイズじゃなくて、年齢（ねんれい）！　エイジ！」

「あら～、今年いくつだったかしら。確か十四歳（さい）ね～」

ズガンッッッッッ!!

但馬は後頭部を鈍器（どんき）で強（したた）かに殴打（おうだ）されたような衝撃（しょうげき）を受けた。胸のサイズとか気にしてる場合じゃなかった。

「馬鹿なっ！　行政はなにしてるっ！　青少年保護条例は!!　ユニセフは!?　ポリコレが黙（だま）ってないぞ！！！」

「ポリコレ……？　お姉さん、何を言ってるかさっぱりよ～？」

「いや、だから十四歳は年齢的にありえないでしょう？　そういうことしちゃいけない年齢じゃないの!?」

「？？　十四歳は立派な成人じゃな～い？　さっきからおかしなことばかり言って、一体何なのよ、もう。お客さんじゃないんだったら、もうどっか行ってちょうだい」

「合……法……だとっ!?」

その瞬間。

但馬は駆けた。

阿片窟を走りぬけ、バラック小屋のオッサンを蹴り飛ばし、物乞いを吹っ飛ばして駆けに駆けた。泥を蹴り上げ、水溜りを飛び越え、砂埃を上げて川沿いに広がる草原を駆け抜けた。やがてローデポリスの穀倉地帯が見えてくると、その畦道を全力疾走して駐屯地のある丘とは別の斜面を突き進み、いくつもの斜面を上り下りして、ついに反対側の森の手前までやってくると、そこにあった崖の上によじ登って、辺りに誰もいないことを確認してから、

「ユーウゥニバアアアァァァーーーーーーーッス！！！」

吼えた。

但馬の魂の叫びが、異世界の雲ひとつない青空に響き渡った。森に潜んでいた魔物たち

がぎゃあぎゃあとざわめきだし、不穏な空気が立ち込めた。駐屯地でそれを聞いた兵隊は敵襲を想起し、警戒態勢に移行した。港では海鳥が一斉に飛び立ち、波もないのに船が揺れた。

但馬は額から止め処なく流れ出てくる汗を拭った。居ても立ってもいられず、こんなところまで駆けてきてしまったが、未だに興奮は冷めやらない。

だってそうだろう？

十四歳だぞ⁉

未成年だぞ⁉

ここは優しい世界……。

合法ロリの世界なのだ!!

剣と魔法のファンタジー世界バンザイ！

但馬はドバドバと涙腺から塩水を垂れ流しながら、この世界に来て良かったと初めて心の底から思っていた。

そうだ、祝砲を上げよう。

「高天原、豊葦原、底根國……いろいろすっ飛ばして……なぎ払え迦具土ィィィ！！！

イヤァアアアホオオォォーーーーーイィィーーーー！！！！」

彼が呪文を唱えるやいなや、巨大な光球がリディアの空に出現した。

それは昼間だというのに燦然と輝き、太陽を消し去るほどの眩い光を放っていた。

そして一直線に天高く上っていったかと思えば、
ズドドドドドドドーーーーーーーーーーン！！！！

と、盛大な音を立てて、爆風とともに弾け飛んだのであった。

その日、ローデポリスの家々では、窓ガラスが何千枚も吹き飛んだという。突然起きた、天を裂き地を揺るがす謎の怪現象に人々は慄き、城壁内では緊急事態宣言が出され、子供たちは外出禁止になったそうである。

閑話休題。

そんなことになっているとは露知らず、思いっきり魔法をぶっ放してすっきりした但馬は、まるで賢者タイムみたいな心境で暫くの間ぼーっと空を眺めてから、

「いかんいかん……」

と呟いて、来た道を戻りはじめた。

崖から転げ落ちるように飛び降り、騒がしい駐屯地に背を向け、穀倉地帯を舐めるように通り過ぎ、天に向かって命乞いみたいなことをしてる浮浪者の脇をすり抜け、吹き飛んで跡形もなくなったバラック小屋の残骸を尻目に、水車小屋まで帰ってきた。

「買おう」

「わっ！　あんた……一体どこへ行ってたの～？　急に走って消えちゃうもんだから、もう戻ってこないと思ってたわ～」

「すまない。買おう」

「それにしても、さっきの凄(すご)いのはなんだったのかしら～？　ここからだとよく見えなかったのよね～。あんた、知らな～い？」

「知らん知らん。買おう」

「そう……残念ね。え？　買うって……？」

「買おう」

「あ、あ～、やっぱり～？　うちの看板娘を袖にするような人、いないわよね～……ナースチャ！　ナースチャいらっしゃ～い」

　ジュリアが薄暗(うすぐら)い廊下に向かって声を掛(か)けると、一旦(いったん)部屋に戻っていたらしき少女が、またひょっこりと顔を覗かせた。彼女は面倒(めんどう)くさそうに小走りに駆け寄ってくると、相変わらず何か困ったように眉間に皺を寄せながら、上目遣いに彼のことを見上げて、

「アナスタシア……」

「え？」

「アナスタシア、です。お買い上げ、ありがとうございます……」

その仕草が一々可愛くて、但馬は頭がクラクラした。さっき賢者タイムみたいな心境になったというのに、もう勃起力が五十三万くらいにまで跳ね上がっていた。

あかん……きっともの凄いドロッとしたのが出るぞ……。

思えば異世界に来てから今までろくなことがなかった。イルカに騙されたり、謎の猫耳人間に殺されかけたり、うんこを漏らしかけたり、営倉と留置所をたらい回しにされたり、ホテルの支配人には水をぶっかけられたり、道行く人々には罵倒されたり……言ってただんだんムカついてきた。

でも今日まで生きてきて本当に良かった。天国のお爺ちゃんお婆ちゃん。但馬は今日、童貞を捨てます。きっと濃厚な遺伝子を後世に伝えてみせるから、見ててくれよな。

そして、まるで酸欠の鯉みたいに鼻の穴をパクパクさせつつ、鼻息が荒くなった但馬がいよいよ彼女に触れようと手を伸ばしたときだった。

グイグイ……

と、背後から彼の肩を引っ張る手が伸びてきた。例の客引きの幼女だろうか？

「おっと、邪魔しないでくれる？　お兄さん、今忙しいから」

その手を振りほどき、また彼女に手を伸ばそうとしたら、またグイグイ……と、今度は但馬の上着が引っ張られる。

「って、なんだよ！　もう！　お兄さん、いま忙しいって言ってるだろ！」

　しつこいので、イライラしながら振り返ると、そこには幼女など居なくて、

「……よう、先生。俺ら非番なのに汚物清掃を延々やらされてたというのに……」

　ビキビキと、コメカミに青筋を立てたシモンが、指をポキポキ鳴らしながら立っていた。

「分隊長がもの凄い形相で歩いてくるから、理由を聞いてみれば……嘘だと言ってくれよう、先生……」

　心底呆れたと言わんばかりに、マイケルが天を仰いでいる。

「俺らは厳罰を受けていたっていうのに……そうかい、先生はこんなところで女を買ってるなんてなあ……あははははは！」

　まるで目が笑ってないエリックが嬌声のような笑い声を立てた。

　但馬はゴクリと生唾を飲み込んだ。

「待て、話せば分かる」

「問答無用！　天誅〜！！！」

　そして但馬はボロ雑巾のように畳まれた。何しろ相手は現役軍人三人である。その暴力は半端無い。

「ぎゃあああ！　正直すまんかった！　すまんかった！　俺が悪かったから許して！　おまえら結構鍛えられてるから、マジで洒落にならんのじゃああああ！！！」

　突如現れた軍人三人にボコボコにされる但馬を見ながら、ジュリアがやれやれといった感じに目を覆った。アナスタシアはそんな騒動を見ながら、

「……それで、お金は？　くれるの？　くれないの？」

　と言いつつ小首を傾げていた。その仕草がまた一段と可愛いものだから、但馬は涙がちょちょぎれるのを止めることが出来なかった。あと少し、ほんの少しで自分も大人の階段を上れたかも知れないのに……。

　但馬波瑠、十九歳。来年はいよいよヤラハタである。

一章　8・そうならそうと早く言え

　但馬が三人の兵士にボロ雑巾に変えられていると、やがて金が貰えないと判断したのか、アナスタシアは無言で水車小屋の中へと戻っていった。

「わあっ！　金ならあるっ！　金ならあるから！」

「ちぃぃっ!!　まあだ言ってやがる」

「往生せいやっ！　この性獣がっ！」

　右から左から容赦なくパンチを浴びながら但馬が叫ぶ。阿片窟の住民たちは日常茶飯事といった感じでスルーしていた。そんな騒ぎをジュリアがやれやれと肩を竦めて眺めていると、

「あっ……アナスタシア、ちょっと待ってくれよ！」

　彼女が引っ込んでしまったのを目ざとく見つけたシモンが追っかけていった。

　但馬はボコボコにされながら首を傾げた。シモンはなんで彼女の名前を知っていたんだろう？　もしかして、二人は知り合いだったのだろうか？

「ちょっとお～。あのお話はもうお断りしたはずよぉ～？　こっちもボランティアじゃないんだからあ～……」

　ジュリアが面倒くさそうな声を上げながら、彼に続いて中へ入っていった。

「何の話だ？　まさか、この俺を出し抜いて、彼女とニャンニャンしようという腹積もりだな？　許せん……許せんぞ！」

　などと宣っていたら、突然、ぐいっと、右の頬っぺたにグーパンチを押し付けられ、そっちを見やれば非難がましい顔をしたエリックが但馬を睨んでいて、続けて左の頬にも軽くパンチが当てられたと思ったら、困ったような苦笑を漏らしたマイケルがいた。

　どういうこっちゃ？

＊＊＊

「え？　さっきジュリアさんが言ってた、彼女の身請けをしようとしてた客って、シモンだったの？」

　水車小屋前に取り残された但馬が、ズボンについた泥をパンパンと払っていると、マイケルが言った。

「あいつら……っていうか、俺たち全員、幼馴染なんですよ。同じ移民の子供で、同じ街で生まれ育って、シモンが一番年上だからリーダー格っていうのかな？」

「去年、アナスタシアの親父さんが死んで、色々あって、こんなことになっちまって……それからずっとシモンは気にしてたんすよ。あいつが彼女を好きなことは、みんな知ってるから、なんとかしてやりたいなと……」

しかし、アナスタシアの父が残した借金は、一般人には一生かかっても返せないようなとんでもない額だったらしくて、シモンたちは幼馴染が体を売るのを黙って見ていることしか出来なかった。

ところがそんな時、但馬が現れて、なにやら嘘みたいな方法で信じられないほどの大金を稼ぎ出してしまった。シモンは大喜びでそのあぶく銭を使って彼女の身請けしようとしたのだが……今回の騒動でそれもご破算となってしまった。

その後、彼らはがっかりしながら、軍規違反の罰でさっきまで街のドブをさらっていたらしい。すると、プンプンと怒りをばらまきながらブリジットが通りがかり、何を怒ってるのかと聞けば、但馬が女を買いに水車小屋へ向かったと言う……。

三人はなんだか嫌な予感がして、仕事を早めに切り上げて飛び出してきたら、案の定、但馬がアナスタシアを前に鼻の下を伸ばしていたというわけである。

「そういうわけだから、出来れば先生にはあの子には手を出さないで欲しいかなって」

「野暮なこと言ってるとは思うけどさあ……もしも、そんなことになっちゃったら、多分先生とはぎくしゃくしちゃうと思うんだよね」

二人は自分らの都合を押し付けて申し訳ないといった感じに、すまなそうな顔をしている。いや、萎縮することはないだろう。そういうことなら話は分かった。

「分かったよ。友達の女に手を出すわけにはいかないからな」

「友達だなんて……へへっ。ありがとうよ、先生。マジ、恩に着るぜ」

「こっちこそ、手遅れになる前に教えてくれて、ありがとうな」

但馬がそう言って頭を下げると、兵士二人は照れくさそうに笑った。

そんな風に三人が友情を温めていると、やがて店の奥から困り顔のジュリアが戻ってきた。シモンがいないのを見るからに、押し切られた感じだろうか。彼女は水車小屋の前にいた三人を見るとため息混じりに、

「あんたたちぃ～？　気持ちは分かるけど、商売の邪魔は程ほどにしてよぉ～？　もう……ボク、ごめんねえ～ん？　せっかくあの子を気に入ってくれたのに……良かったら、他の子紹介するわ。お安くしとくわよ～？」

「いや、いいっていいって。もう勘弁してくれ」

但馬はまた押し切られないように慌てて拒絶した。今度こそ力士が来ないとも限らないのだ。大体、あんなに可愛い子を見た後では、感動が薄れて勃起するかどうかも分からない。十四歳だぞ？　Ｂカップだぞ？

「それに、初めから言ってるでしょ？　俺はここに女を買いに来たんじゃないって」

「そうなの？」

「あ、そうだ。一応、聞いておこうかな。ジュリアさん。あの水車って、使えるの？」

「水車～？」

ジュリアは顎の下に人差し指を立てて小首を傾げた。普通なら可愛い仕草だろうに、彼女がやると軽く恐怖だ。但馬はここへ来た経緯を話した。国王に依頼されて紙の製作をしていること、作業場と動力を求めて水車小屋へたどり着いたこと。

「まさか売春宿になってるなんて思わなくてね」

「王様の依頼ぃ～？　ふ～ん、それが本当なら凄いわね～……あの水車なら、ちゃーんと動くわよ～。ついてらっしゃ～い」

そう言うと彼女はノッシノッシと水車小屋の中へと消えていった。但馬たちは顔を見合わせてからその後に続いた。

小屋の中はやたら暗くて狭くて、廊下の幅は人一人が通るのがやっとだった。先を進むジュリアなんかは、天井に頭がぶつかりそうで、よく躓きもせずに歩けるものだと感心するほどだった。

彼女が言うには、元々はこんな間取りはしてなくて、後から継ぎ接ぎに部屋を増築していったらこんな風になってしまったらしい。因みに、その部屋一つ一つが何のために作られていったのかは言うまでもなく、誰もいないと分かっていても、部屋の前を通り過ぎるたびに息を止めて耳を澄ませてしまうのを避けられなかった。

外観からは想像できない長い廊下をグルグル何度も曲がり続けると、やがてそれまでの暗い部屋とは違って、光が漏れているドアが見えてきた。ドアを潜ると、そこは他の部屋とは比べ物にならないくらい広く、大きな作業台と、大きなかまどと、部屋の隅に積まれた石臼らしき物体があり、カタッカタッと、今は動力部を止められている水車から、規則正しい音が響いていた。

普段、この部屋は食堂代わりに使われているのだろう。壁に置かれた食器棚の中には、不ぞろいの陶器の食器が並んでおり、持ち手の木が腐りかけたフライパンが、洗い場の水桶に乱雑に突っ込まれていた。

ジュリアは部屋の奥の隔離されたスペースに足を向けると、水車の車軸を指差しながら、「これが水車よ～。今はもう使ってないから、色々外しちゃってるけど、ちゃんと使えるはずだわ～ん」

最初に街を歩いた印象からしても、この国は金属加工が盛んなのだろうか？　鋼鉄製の車軸が、日の翳った部屋の中でも一際きらりと輝いて見えた。もう使っていないと言っているが、手入れは行き届いているようで、埃は払われ、錆付かないようにちゃんと油も差してあった。外されたギアなどもよく手入れされていて、直ぐ側の木箱に収められていた。組み立てれば今すぐにでも使えそうだ。

多分、粉挽きに使われていたのであろう石臼が置いてあって、これも問題なさそうに見えた。使えるなら使いたいところだ。他にも色々機械を動かしたいのだが……勝手にやってはまずいだろうか？

「これを普段から手入れしている人って誰かな。相談したいことがあるんで、呼んでくれる？」

「それなら、俺が話を聞くぜ」

てっきりジュリアから返事がくると思っていたら、別方向から声が聞こえてきた。驚いて振り返ると、いつの間にか部屋のドアに背中を預けたシモンが立っていた。

「その水車の心棒やギアを作ったのは、俺の親父なんだよ」

＊＊＊

そろそろ営業時間も近いというジュリアに挨拶(あいさつ)してから、但馬たちは水車小屋を後にした。

水車の動力室を見学している最中、突然やってきたシモンが、水車のことなら自分が詳(くわ)しいから何でも聞いてくれと言ってきた。どういうことかと問えば、元々、あの水車小屋はアナスタシアの父親の所有物であり、そして彼女の父親に頼(たの)まれて、水車を作ったのはシモンの父親だったそうな。

バラック小屋の建ち並ぶスラムを抜けて穀倉地帯までやってくると、海風が街の喧騒(けんそう)を運んできた。先ほどの爆発(ばくはつ)の影響(えいきょう)だろうか？　市内はざわついており、正直、あんまり帰りたくないとソワソワとしてたら、シモンが話を切り出してきた。エリックとマイケルが我関せずといった素振りで席を外してしまったところを見ると、どうやらあまり面白(おもしろ)くない類の話らしい。

「俺の親父とアナスタシアの親父さんは、二人とも北方大陸(セレスティア)の技師だったんだ。でも勇者が殺されて内戦が始まると、武器の開発ばかりさせられて、嫌気(いやけ)がさした親父たちはこっちの大陸に逃(に)げてきたんだ」

彼らの技術はこちらロディーナ大陸には無いものばかりで、特にリディアでは珍重された。そのため、多くの技師たちが海を渡ってリディアの地を目指したのだが、中でもアナスタシアの父親は別格だった。

実は現在のリディアの主要産業である『ゴムの加硫法』を伝えたのは彼だったのだ。

我々はゴムといえば、伸び縮みする輪ゴムや運動靴の靴底やタイヤを想像するが、天然の生ゴムは木の樹脂だから基本的にはドロドロした液体である。これをお馴染みの伸び縮みする素材に変化させるには、硫黄を加えて熱する必要があるのだが、その方法が発見されるまでは、ゴムは熱帯に存在するただの珍しい木でしかなかった。

発明家のチャールズ・グッドイヤーはこの世紀の発見で巨万の富を得たのだが、研究開発のために硫黄を含むあらゆる薬品を使っていたせいで、晩年は薬物中毒の後遺症に悩まされることになる。おまけに、一度やり方が分かってしまえば、誰にでも真似できてしまうから、特許侵害が頻発し、生涯訴訟に明け暮れる羽目になった。

そんな逸話を知ってか知らずか、アナスタシアの父は独占すれば大儲け間違いなしのこの技術を、請われるままに気前よく伝授して回った。これによって、彼はそれまで火山から噴出する毒ガスでしかなかった硫黄を、黄金に変えたのだ。

お陰でこの国は莫大な富を得たわけだが、流れ者の彼が感謝されることはなく、その功績も殆《ほとん》ど知られることがなかった。普通なら腹を立てようものだが、当の本人はケロッとしたもので、それよりもっとこの国に貢献《こうけん》しようと、私費を投じて更《さら》なる発明を続けていたそうである。

「ゴムの利権を手に入れられなかった親父さんは、あの水車小屋で粉挽きをやって研究費を捻出《ねんしゅつ》していたんだ。見ての通り、城壁《じょうへき》の外は治安が悪くてショバ代はタダみたいなもんだから、最初のうちはかなり儲《もう》かっていたらしい。ところが、そうやって研究に明け暮れてるうちに奥さんが死んじゃって……」

元々、超が付くほどの研究馬鹿だ。生活能力は皆無《かいむ》に近い。男手一つでは到底《とうてい》娘《むすめ》の世話をし切れないと考えた彼は、アナスタシアをエトルリアの修道院に入れようと考えた。

隣人《りんじん》であるシモンの両親は、彼女の面倒を見ると言ったそうなのだが、仲間に迷惑《めいわく》をかけたくないからと彼は断ったらしい。見ようによっては子供を捨てるような行為《こうい》だから、当然シモンの父親は友人を窘《たしな》めたそうだが、アナスタシアも彼女の死んだ母親も敬虔《けいけん》なクリスチャンだったから、最終的には折れたらしい。

しかし、残念ながらそれは間違いだったと後悔《こうかい》することになる。

「娘《むすめ》を預けた親父さんは、初めは修道院に寄付金を送っていたんだけど、数年前、戦費調達を理由に、国が粉引きの権利を取り上げちゃったんだよ」

水車小屋の利益に頼っていた父親は、そのせいで大打撃を受けた。突然収入が絶たれてしまった彼は、修道院への寄付を止めざるを得ず、水車小屋も改造して売春婦に貸し出したりして、なんとか生活資金を確保しようと躍起になったのだが……。

「一年前、とうとう首吊って死んじゃったんだ。後に残されたのは借金だけで、それも莫大な額だったから、彼の私財を売ったところでどうにもならなかった。それをジュリアさんがなんとかしてくれてるんだけど……」

「それじゃ、あの子はその金を返すために売春婦になっちまったのか……可哀想に」

「いや、それが……」

当然、そうだろうと思っていたら、シモンの口から否定の言葉が出てきて混乱した。どういうことだろうか？

「寄付金を納めていたうちは良かったらしいんだけど……」

寄付金が滞るとアナスタシアは、修道院で次第に居場所がなくなっていったらしい。端から見てる分には神に祈るだけの施設に見えるが、年頃の女ばかりが詰めこまれた閉鎖空間である。中で何が起きているのかは知れたものではない。

そして彼女には一つ、負い目があった。

「あいつのお母さん、亜人だったんだよ」

亜人がこの世界で差別されていることには何となく気づいていた。初日にブリジットたちが交戦した敵国の連中はみんな亜人だったし、実を言えば、今日までローデポリス市内で亜人を見かけたことは殆どなかった。

水車小屋の主であるジュリアも亜人だったし、売春婦たちもみんな亜人だった。そういえば、スラム街の住人も殆どが亜人だったかも知れない。

どうやら但馬が考えているよりも、この世界の人種差別は、もっと露骨で根深いものらしかった。

その後は聞かずとも大体想像がついた。シモンが無表情に、淡々と語った事実には、胸糞が悪いを通り越して、胃がひっくり返りそうな気分にさせられた。

信じられないかも知れないが、中世の水車小屋や修道院で管理売春が行われていたのは本当らしい。

アルプス・ピレネー以北のヨーロッパは、今でこそ草原地帯にしか見えないが、元々は大木が生い茂る原生林が広がっていた。人々はそんな暗い森の中で、寄り添うように密集して暮らし、村の周りを城壁で囲んで外敵から身を守っていた。

ところが、水車は川がなければ役に立たないわけだから、大抵、村の外に建てられていた。するとその小屋番は村から離れて暮らさざるを得ず、必然的に村人から距離を置かれていた。これが差別意識に繋がったのは言うまでもないだろう。人間も群れを作る動物であるから、はぐれものには冷たいのだ。

ところで、村人たちは密集して暮らしているわけだから、隣人が何をしてるかは筒抜けである。夜に奥さんとゴニョゴニョしようものなら、すぐ隣近所の噂になってしまうだろう。そういう時、水車小屋は役に立った。小屋番に部屋を貸してもらえば、村人たちにバレずに済むのだ。小屋番にはバレてしまうかも知れないが、どうせ相手は賤民だから気にならない。同じ理由で、商売女に部屋を貸して、金銭を受け取っていた小屋番も少なからずあったようである。それが巡り巡って、ネバダ州の砂漠地帯に燦然と輝くネオンサインになったというわけだ。

修道院も人里離れた僻地に建てられるのが普通だったから、似たような理由で小銭を稼いでいた所もあったらしい。教会を経営するには金がかかる。ただ単に神に祈る施設というだけではない。災害があれば炊き出しを行ったり、路頭に迷う孤児がいれば施しを与えたり、年季の入った建物の修繕費や、出世のための賄賂も必要である。寧ろそれこそが一番重要かも知れない。これら全てをとても寄付金だけでは賄いきれない。

そこでこっそり売春婦に部屋を貸し出したりしていたのだが、これが儲かることが分かると、そのうち上の方も黙認するようになり、次第に公然の秘密となっていったようである。

　考えてもみれば魔女狩(まじょが)りを行っていたような連中である。今でこそ男女同権なんて騒いでいるが、女性が本当の意味で解放されたのはつい最近のことで、それまでは差別の対象だった。人里離れた僻地に女だけを集めた施設の中で、何が行われていたかなんて知れたものではないだろう。

　修道院に入れられて、徐々(じょじょ)に立場が弱くなっていった無力な子供(アナスタシア)が、その後どうなったのかは推(お)して知るべしだ……。

　但馬は何と言っていいのか分からなかった。

「でも、あの子は人間だろ？」

　見た感じ、おかしなところは何もなかったし、確かステータスを確認したとき、彼女の種族はHumanと表示されていたはずだ。

「ああ、でも人の口に戸は立てられないからな。どこかから漏れたらそれまでだ。俺たちと何も変わらないんだけどな……」

　シモンは苦虫を噛(か)み潰(つぶ)したような表情で地面を見つめている。他人でしかない但馬でさえ、話を聞いただけで気分が悪くなるのだ。幼馴染の彼がどう感じているかなんて、想像もつかない。

彼は言った。

「だからさ、先生。もしもあの水車小屋で何かすんなら、また俺にも一枚噛ませてくれないか？　俺か……なんならアナスタシアを使ってくれよ。少しでも金を稼いで、一日でも早く借金をチャラにしたいんだ」

なるほどな……と但馬は思った。

今にして思えば、ネズミ講に最初に飛びついてきたのはシモンだった。少し金に汚いところがある奴だと思っていたが、そういう事情があったのなら話はわかる。

彼は幼馴染を……いや、愛する女性を救いたかったのだ。

「そうならそうと早く言えよ。水臭い。その代わり、やれることは何でもやってもらうからな」

「へへっ……ありがとうよ」

シモンは目尻をゴシゴシとやってから、ニヤリと微笑んだ。但馬は、その瞳が真っ赤なことに気づかない振りをした。多分、夕日のせいだろう。

正直、初めは口から生まれたうるさいだけのただのイケメンだとしか思ってなかったが、今となってはこいつと……いや、エリックとマイケルも含めて、こいつらみんなと出会えて本当に良かったと、但馬は心の底から思っていた。

異世界の地で出会った友のために、今度の仕事も全力を尽くそうじゃないか。

「まあ、それはそれとして」

そんな風に但馬が決意を新たにしていると、

「おめえのせいで俺ら休暇返上でドブさらいだよ!!　金も無くなっちまうし、どうしてくれんだ、この詐欺師野郎が!!」

「そうだそうだ！　全く、いい迷惑だぜ」

「〇せ！　〇せ！」

「え!?　せっかくいい雰囲気だったのに、そこに戻っちゃうの!?」

ぎゃあぎゃあと喚きながら、いくつものパンチが乱れ飛んだ。四人の男たち……というか、三人の軍人が一人の一般人を一方的にボコボコにしてるだけだったのだが……トウモロコシ畑で野良仕事をしていたオッサンが後に語るには、その影法師が仲の良い兄弟が楽しげにじゃれ合っているように見えたそうである。

いや、見てないで助けてくれよ……。

一章　9・シモンはどんな気持ちなんだろうか

軍人どもにボコられた後、ローデポリスに帰ってくると、やけに街が騒がしかった。何事かと通行人を呼び止めて聞いてみれば、先ほど謎の大爆発が起こって、街中のガラスが吹っ飛んだとかなんとか。

「ふーん、そうなんだー……」

と気の無い返事をしてその場から逃げるように立ち去った。やべえ……但馬の挙動が不審だったから、シモンたちがどうした？　と尋ねてきたが、説明のしようもないので適当に誤魔化す。

大爆発とはあれのことだろう。己のリビドーを鎮めるために丘の上でぶっ放したあれだ。まさか、こんな離れた街まで被害が出ていたなんて……これからはもっと気をつけねばなるまい。

すっかり忘れていたが、実はレベルが上がった後、自分のＭＰがどこまで伸びたかな？と思って溜め続けていたのだ。多分フル充填だったろうが、それを最初の時みたいに、うっかり全部つぎ込んでしまったのだ。

迂闊としか言えなかったが、何しろずーっと街に居たせいで、自分が異世界からやってきたことすら忘れてたのだ。マジで魔法を使う機会なんてなかったのだ。

一体、どれくらい伸びていたんだろうか……と思いながら、自分のステータスを久しぶりに表示してみたら、

『但馬　波留
ＡＬＶ００２／ＨＰ１１０／ＭＰ０００
出身地：千葉・日本　血液型：ＡＢＯ
身長：１７７　体重：６１　年齢：１９
所持金：金１……』

「……あれ？」

さっき使ってしまったから、ＭＰが0になっているのはいい。それより、気になったのは他の数字だ。前に見たときとなんだか違っているような気がする。

確か、ＡＬＶは最後に見たときは3だったはずだ。間違いない。いつの間に下がったんだろうか……というか下がるものなのか？　それに、ＨＰって１１０もあったっけ……こっちは逆に上がっているような気がする。あ、体重が減ってる……地味に役に立つな、ち

くしょう。

ステータスの変化に戸惑っていると、シモンが再度どうした？　と尋ねてきた。もちろん、これだって説明のしようがないので、口ごもるしかない。但馬は何でもないと先を急いだ。

目的地はシモンの家だった。

シモンの家は鍛冶屋をやっていて、金属加工には詳しいという。さっき聞いた通り、例の水車を作ったのは彼の父親らしいので、話を聞きに行かない手はない。エリックとマイケルとは別れて、但馬はシモンの家に向かった。

ところで意外と言うべきか、運命と言うべきだろうか……シモンに先導されながら商店街を歩いていた但馬は、とある店が見えてきた瞬間、既視感を覚えて、あそこだろ？　と指差した。

シモンは、どうして分かったんだ？　と驚いていたが、理由はまあ簡単だ。彼の父親は北方大陸出身だと言っていた。一週間前、ブリジットと初めてこの街を訪れたとき、とある鍛冶屋の壁にマスケット銃がかけられていたのを覚えていたのだ。そんなものは他ではお目にかかれなかったから、多分、北方大陸の技術だろうと思ったのだ。

暗い店内に入るとマスケット銃があの時のまま飾られていた。以前はゆっくり観察出来なかったが、近くで見たらはっきり分かった。これは間違いなく火縄式の銃のようだ。恐らくこれも、勇者絡みのものだろう。もしかすると、北方大陸では銃が普及しているのかも知れない。出来れば聞いてみたいものである。

店内は薄暗く、客は皆無で、はっきり言って流行っていない感じだった。マスケット銃だけやたらと目立つが、後は珍しくもない鍋や包丁、大工道具などが並んでいて、前に見かけたダマスカス鋼の刀剣類と比べるとかなり地味で、なんというか特徴がないのが特徴な店構えだった。

店員もいなくてどうしたものかと困っていたら、シモンが店の奥に向かって声をかけるなり、すかさず元気のいい声が返ってきた。

「はーい、いらっしゃいー……って、なんだい、馬鹿息子じゃないか。店の手伝いもせず、どこをほっつき歩いてたんだい？」

「別に遊んでたわけじゃねえよ。この間のあれで、軍にドブさらいを命じられたって言っただろう」

「ああー、ああー、そんなこともあったねえ。おまえなんかがお国のお役に立てるものかと思ってたら、ほら見たことかい、お母さん情けないったらありゃしないよ。ご近所さんにも顔向けできなくて……」

「ああ！　はいはい！　悪かったよ。それより親父いる？　お客連れてきたんだ」

「お客う～？」

　奥から出てきた小母(おば)さんがジロリと但馬の顔を覗(のぞ)き込んだ。多分、シモンの母親だろう。お客には愛想(あいそ)がいいが、息子の友達には容赦がないらしい。やたら声が大きくて早口で話すので、正直苦手な部類の人種のように思えた。

　すんません、シモン君を悪の道に引きずり込んだのは自分です……バレると絶対厄介(やっかい)だろうから、但馬はペースを握(にぎ)られないよう、先に口を開いた。

「これ……マスケット銃ですよね？」

「ええ？　なんだって？」

「ご主人が作ったんですか？　実は、前々から気になってたんですよ」

「先生、これがなんだか知ってんの？」

　母親に質問したつもりが、シモンの方が食いついた。

「まあな。街で持ってる奴を見かけないから、てっきり存在しないんだと思ってた」

「へえー……俺も使い方はよく知らないけど……親父なら知ってるんじゃないかな。お袋(ふくろ)、親父は？」

「あの穀潰(ごくつぶ)しなら、これだよ、これ」

母親は釣りをやるようなジェスチャーをしてみせた。どうやら主人は不在らしい。水車用に機械を発注しようと思っていたので、正直困ってしまった。帰ってくるまで待っていようか、それとも他の材料を買いに行こうか……と考えを巡らせていたら、

「なんだよ、先生。注文だったら、俺が聞くぜ？」

「……おまえが？　出来るのか」

意外にも……いや、意外でもないか、シモンがやる気を見せてきた。

「ああ。大体、親父にやらせちまったら、俺に金が入ってこないだろ。作業は俺で、親父には話を聞くだけにしといてくれよ」

「まあ……そうだな」

正直、家が鍛冶屋だからって、その息子がどれくらい出来るかなんて分からないので、少々心もとないのだが……金だけくれてやる、なんてわけにもいかないから、シモン自身にもちゃんと役に立ってもらわなければなるまい。

「分かったよ。それじゃまず機械のコンセプトから説明するけど……」

「その前に、先生が何を作るのか、教えてくれないか？」

「……はあ？」

いきなり何を言い出すんだ、この男は……と思ったが、そういえば、水車小屋を利用し

たいとは言ったが、何を作るとまでは言っていなかった。こいつ……知らずに安請け合いしてたのかと思うとため息が漏れたが、

「はぁ～……紙だよ、紙。紙を作ろうとしている」

「紙ぃ～？」

先に説明したとおり、紙作りはパルプさえ出来てしまえば、後は比較的簡単で、小学生にも出来る作業だ。

ところで、そのパルプというのは一体何なのか？

パルプとは主に製紙に用いるために分離した植物の繊維のことで、要するに炭水化物、多糖類、セルロースのことである。

セルロースとは、植物の細胞壁の主成分である高分子で、デンプンの同位体であるが、水やその他の溶媒に溶けにくく、水素結合によって互いに結びつく性質があり、丈夫な繊維になりやすい。

植物なら何にでも含まれている分子であり、いわゆるパルプとはこれを取り出して集めたもののことをいうのだが……単純に木材などから削り出した状態では、色々と不純物も混じっていて使えないから、扱いやすくする必要がある。

で、どうやるのかと言えば、ぶっちゃけ叩く。植物を石臼などですり潰してバラバラに

なった繊維を、餅つきみたいにひたすら叩いてクタクタになったものを、今度は水流の中で解すようにグルングルンとかき混ぜる。この作業のことを叩解と呼び、こうして出来上がったパルプを、最終的に平たく延ばしたのが紙になるというわけだ。

「……要するに、叩けばいいのか？」

「そう。杵と臼でガンガン叩く。そりゃもう、何時間も、うんざりするくらい叩く。そんなの人力でやりたくないから、そういう機械を作って欲しいわけ」

因みにこの機械のことを打解機と呼ぶ。別にベータでもチーターでもなんでもないが。

「分かったよ。それくらいならすぐに作れると思うぜ……他に何かあるか？」

「後は……石臼をもっと頑丈にしたような、金属で出来た製粉機って作れない？　小石くらいなら軽くすり潰せちゃうような頑丈なの」

「そんなのも必要なのか？　難しそうだが……とにかくやってみよう」

「期待しないで待ってるぜ」

「なんだよ、信用ねえなあ」

「信用してるって。後は材料も集めないとな。藁とか、ボロキレとか、あとは竹があったら欲しいかな」

「竹……？　あの、中身が空洞になってるやつ？」

「そうそう」

因みに、紙の発祥地である中国では、古くから竹紙も作られていた。竹はあまり紙作りには向かないそうであるが、元々、紙が普及する前には広く竹簡が使われていたから、その名残りだろう。最終的には木材チップを使うとしても、最初は扱いやすいこれらを使って試作したいところだ。

その後、シモンと二人で翌日の作業について話し合ってから店を出た。すっかり日が傾いて、辺りは暗くなりつつあったが、シモンの父親は帰ってこなかった。結構な釣り道楽のようだ。マスケットのことを聞きたかったが、また今度にしよう。

このあと材料集めをしても良かったのだが、どうせすぐに機械が出来るわけでもなし、明日に回してのんびりすることにした。それに昨日は留置所泊まりで、今日の寝床はまだ決めてなかった。当面の資金として、ブリジットに金貨一枚を渡されたから、安宿くらいなら泊まってもいいかも知れない。

そんなことを考えながら、中央広場までやってくると、昼間の健全な屋台があらかた店じまいを始めており、夜の飲み屋が屋台を引いて続々と集まってきていた。

「よう！　詐欺師の兄ちゃん。まあ、飲んでけ飲んでけ」

指をくわえて眺めていたら、昨晩おごってくれた屋台のおっちゃんが声をかけてきたので、ありがたく頂戴する。

「そろそろ、次の儲け話はないのかい？」

「円天って知ってます？　俺の故郷で流行ったんですけど……」

大体、コップ二杯半あたりから記憶が無い……。

＊＊＊

明けて翌朝。植え込みに潜り込んでグースカ寝てたらブリジットがやってきた。梢の陰から仰ぎ見れば、やれやれとため息を吐いてる彼女のおっぱいがブルブルと震えた。この角度はパンツが見えそうである。

「先生……宿くらい取りましょうよ。捜しましたよ、なんでこんなところで寝てるんですか？　まさか、昨日のお金、全部使っちゃったんじゃないですよね？」

ごそごそとポケットに手を突っ込んだら、金貨が一枚出てきた。良かった。酔っ払って無くしちゃったり、豪遊してたりしてなかったようだ。

「全額残ってますね……あれ？　でも昨日、水車小屋で使ったんじゃ？」

「勝手に勘違いするんじゃないよ。釈明の余地も与えないままどっか行きやがって、マジで俺が女買うとでも思ったのか？」

「えっ……ごめんなさい」

但馬は、昨日水車小屋へ行った理由と、そこでシモンたちに会ったこと、それから彼らと協力して仕事を進めていたことを、さも山あり谷ありの苦労話のように創作を交えて伝えたら、ブリジットは反省しきりといった顔で小さくなっていた。その顔がちょっと可愛かったから、許してやろうかとも思ったが、胸が大きいのでチャラである。せいぜい今日はこき使ってやろう。

その後、街の中をぐるぐる歩き回って、二人は材料をかき集めた。

材料集めといっても、基本的には廃材やらぼろきれやらなので、本当にこんなので良いのかと、ブリジットが不安がっていた。試作品なのだから、そんな上等なものは必要ない。それよりも数をそろえて、紙にしやすい素材はどんなものかを検討したいところだ。

結局、サトウキビの搾りかす、トウモロコシの皮、古着屋のぼろきれ、その辺に生えていた低木、藁束、などを集めて水車小屋に持っていき、主人のジュリアに頼んで奥の作業場を貸してもらった。

ついでに水車を利用するに当たってアナスタシアを助手として雇いたいと言うと、彼女は仕方ないわねといった感じに肩を竦め、

「明るいうちだけよ～。こっちだって商売なんだから～……ん～、それともぉ、夜も買ってくれるぅ～？　私含めて、みんな、みーんなよ～？」

ジュリア以外のみんななら検討したかも知れないが……。

無理ですと即答して、昼間限定なのは了解した。昼の間だけでもアナスタシアを助手に雇えればそれでいい。彼女に少しでもお金が入れば……もちろん、そんなことは一言も口に出すつもりはない。

「あら～？　あなたぁ～、いい体してるじゃなぁ～いぃ？　どう？　うちで働かなぁ～い？」

ブリジットがジュリアに絡まれている間に、材料を作業場まで運んだ。途中、アナスタシアと出くわして、何をしてるの？　と聞いてきたので、助手として雇ったことを伝えて、荷物もちを手伝ってもらう。

「お父さんの水車を使うの？」

そう問いかける彼女の眉間には、彫刻刀で削ったかのような深い皺が刻まれており、そのくせ表情に乏しいという、なんとも複雑な顔をしていた。

普段、水車の管理をしているのは、きっとこの子なのだろう。

昨日見た水車はとても手入れが行き届いていた。それは今は亡き父親のことを思ってやってることなのだろうが、と同時に、彼が残した借金と修道院の記憶が圧し掛かるのではなかろうか。

その葛藤がどんなものなのかは想像すら出来ない……せめて、大事なものを借りるのだから、ちゃんと結果を出さなければと、但馬は思った。

＊＊＊

二日後、機械が出来たとシモンがやってきた。大急ぎで制作してくれたらしい。但馬は市内で、とある薬品を探していたのだが、一向に見つからないので気分転換も兼ね、

「それじゃ、試運転も兼ねて、一回やってみようか?」

と、水車小屋で初めての紙漉きを行うことにした。

時間があるときは出来るだけ水車小屋に入り浸って、大体の用意はしていたので、上手くいけば今日中に試作品が出来るはずだった。

因みに、ブリジットは育ちが良いせいか、売春宿の雰囲気にあてられ近づきたがらず、役に立たないから置いてきた。代わりに雇ったアナスタシアと、売春婦の子供たちが手伝ってくれるので問題ない。彼らの食堂でおかしなことをやっていたから、子供たちには物

珍しかったのだろう。

　売春婦の子供たちは亜人の子と言われていたが、見た目は人間とまるで変わらず、実はステータス的にも変わらなかった。みんなHumanなのである。

　幼い子たちはみんな快活で明るく、少し大きな子はどこか大人びてサバサバしていた。全員が全員、街ではなく城壁外のスラムに住んでいて、水車小屋に入り浸り、親子二代で売春婦をやってる子もちらほらいたので、なんだか色々と考えさせられた。

　アナスタシアはそんな中で、何故かお姫様的に慕われていたので、それはよほど美人だからか、育ちのせいかと思っていたのだが、実はもっと深い理由があった。

『Anastasiya_Shikhova.Female.Human, 157, 42, Age.14, 81B, 56, 82, Alv.0, HP.74, MP.18, None.Status_Normal,,,,, Prostitute, Lydian,,,,, Prayer.lv5, Cast.lv5, Rote.lv9,,,,,』

　以前はエロい目でしか見てなかったからスリーサイズと年齢にしか目が行かなかったが、よく見ると彼女はＡＬＶ０でＭＰ１８という珍しいタイプの人間で、Ｐｒａｙｅｒ．ｌｖ５という、どうやら祈祷師か何かであるらしかった。

　彼女と共に動力室で作業をしていると、時折、仲間の売春婦や、切羽詰まった感じの客がやってきて、

「アナスタシア、私そろそろ危険日なの。避妊魔法かけてくれないかしら」

とか、

「アナスタシアちゃん！　息子が病気なの！　助けて！　ああああ……」

とか、要するに、避妊だとか性病の治療だとかを行っていたので、初めて見たときは面食らった。

「朝露の園に　主の御声を聞く　幸をば得たり　主は我と共にあり　我に囁きたまいぬ
永遠に汝は我のものぞと」

そうして彼女が厳かに聖書の一節を読み上げると、ブリジットみたいに緑色のオーラが立ち上り、たちどころにお客さんの性病を治してしまったのだ。

こういった商売では重宝されるだろうから、彼女が慕われている理由もよく分かった。因みにプレイヤーというのは、ヒーラーみたいに傷をみるみる治す力とはちょっと違うらしくて、子供たちが転んで生傷を作っていても、彼女が癒やしている気配はなかった。なんかそういうものらしい。

ともあれ、そんなわけで、彼女が但馬たちと一緒に動力室で作業をしていると、勝手に子供たちがやってきて手伝ってくれたのだ。お陰で作業も捗った。

最初の紙漉きには、サトウキビやトウモロコシの皮を使うことにした。

パルプ製作は、叩いて繊維をほぐす前に、まずは蒸気を当てたりアルカリ溶液で煮込んだりして、材料をほぐれやすいようにふやかす作業がいる。手でも裂けるくらいまで柔らかくしてから、石臼などでゴリゴリするのだ。

かなりの時間煮るので、部屋の中が蒸されてサウナみたいになってしまい、飛んできたジュリアに怒られた。

仕方ないので河岸を変えて、外でドラム缶に入れて煮炊きしていたら、炊き出しか何かと勘違いしたスラムの住人がやってきて面倒くさいことになった。彼らは勘違いだと分かると一様に舌打ちして去っていったが、中には物珍しそうに質問していくものや、怪しげなクスリを勧めてくるのもいて大いに困った。

そんなこんなで数時間、材料を煮込んでパルプ状にし、いよいよ水車を使った叩解の工程に入る。

「おお！　ちゃんと動くじゃないか。やるな、シモン」

「当たり前だろ」

シモンが作ってきた機械は問題なく動いて、効率よく繊維を叩いてくれていた。パルプ化した繊維を暫く叩くと、徐々に形がほぐれてきて、その内全体が毛羽立ってくる。その状態にまでなったら再度水に溶かし、煮込みすぎたドロドロのおかゆのような水溶液にし、それを簀の子や簾のような網状のもので掬って、プレスして平たく伸ばすのだ。

「そして、これを乾かせば完成」

「本当にこんなんで上手くいくのか？」

まだグチャグチャのゲロみたいな状態を見て、シモンが不安そうにしている。出来れば早く乾かしたいところだが、最初から焦って台無しにしてはもったいない。大丈夫だから一日くらい我慢しろと言って聞かせた。

紙が乾くまで手持ち無沙汰になってしまった時間を使って、次に使うつもりだった低木の皮を剥いだ。やりやすいように蒸気でふやかしておいたが、やはりこれも煮込んですぐにどうこう出来る感じでもない。また室内で灰汁に入れてコトコト煮込み始めたのだが、その頃になると、なんだかソワソワしだしたシモンが何かと言い訳をして帰ってしまった。まあ、やることは殆んど一緒だし、今日中に紙が乾くとも思えなかったので許可したが、一体どうしたのかな？　と首を捻っていると、すぐに分かった。

作業に没頭している間に、いつの間にか外はすっかり暗くなっており、売春宿の営業時間を迎えていたのだ。食堂兼動力室で作業をしていた但馬は追い出されることは無かったが、

「ナースチャ、お客よ」

と、ジュリアがアナスタシアを呼びに来て、彼女は部屋から出ていった。

何をしに行ったのかは言うまでもない。

なんとも言えない微妙な気分になった。

異世界の夜は二つの月明かりでとても明るかったが、ここは穴倉のように暗かった。アルコールランプの今にも消えそうな灯りと、パルプを煮る鍋の火だけが頼りである。

パチパチと火が爆ぜる音がやけに響いた。高校時代、文化祭が終わった後の後夜祭、祭りのあとの浮かれ気分で次々とカップルが成立する中、一人あぶれてキャンプファイヤーをぼんやりと眺めていたことを思い出した。

但馬は人を本気で好きになったことは無く、フォークダンスを踊るクラスメイトたちを見ても特になんとも思わなかった。

シモンはどんな気持ちなんだろうか。

＊＊＊

翌朝、いつものように中央広場のベンチで目を覚ますと、欠伸をかましながらテクテクとスラム街まで歩き始めた。まだ千鳥足であったが、昨日作った紙がどうなったか知りたい気持ちが勝っていた。いい加減、二日酔いにも慣れてきて、途中で一回ゲロっただけで気分は良くなり、気を取り直して水車小屋へと急ぐ。

　水車小屋に着くと時間が早すぎたのだろうか、辺りには人の気配がなく、中も静まり返っていた。戸締まりという概念の無い世界だから、入口のドアは開け放たれており、但馬は小さい声でお邪魔しますと呟いてから、奥の作業場へと足を運んだ。

　暗い廊下を右へ左へ折れ曲がりながら、やがて光の溢れるドアを潜ると、作業場にアナスタシアが一人立っていた。

　彼女は昨日作った紙を手にとり、日に透かしたり、裏表にしたりと、それはそれはマジマジと見ていて、こちらには全然気づいていないようだった。その様子から察するに、どうやら上手くいったようである。脅かしては悪いから、声をかけるのに躊躇したが、

「おはよう、アーニャちゃん」

　彼女はやはり但馬が来たことに気づいてなかったようで、ビクリと電気ショックでも食らったかのように震え、それからあたふたと紙を元の場所に戻そうとしたが、すぐに手遅れだと気づいたのか、落ち着きを取り戻すと、いつものように眉毛だけが困った感じの無表情になった。

「……先生、早いね」

「出来てる？　見して」

アナスタシアから紙を受け取ると、但馬はその出来具合を確かめた。思ったとおり、問題なく植物の繊維は結合し、ちゃんと紙になっていた。まだ試作段階で、ところどころ厚いところや薄(うす)いところがあったり、表面もざらついていたが、初回でこれなら上等だろう。強度はどんなものだろうかとビリッとやったら、

「あっ！」

と、小さい悲鳴が聞こえて、アナスタシアがハラハラしていた。

そういや、高級品なんだっけ。まだ何枚もあるので、一枚くらい問題ないのだが……。

但馬は残りの紙も一枚一枚その出来を確かめたあと、

「良かったら、いる？」

「……いいの？」

「いいよ、どうせ試作品だし」

よかれと思って、出来たばかりの紙を束にして突き出したら、彼女は少し考える仕草を見せてから、

「ううん、いらない」

と言った。

「遠慮(えんりょ)すること無いよ。なんならボーナスだと思って受け取ってくれればいい」

「ううん。そういうんじゃなくって……」

どういうことだろう？　と首を捻っていたら、

「施しは受けちゃ駄目だって」

と彼女は言った。但馬はスラムの入口に屯する物乞いの姿を思い出し、まあ、そういうものかなと思って納得した。

そして、無理に押し付けてもしょうがないし……と思って、紙束を作業場の机の上に置こうとしたら、その机の上に、多分、彼女が朝食のために持ってきたのであろう食材が置いてあるのが見えた。

但馬は、ふと思い立って、その中から玉葱を一つ手に取ると、

「じゃあ、これと交換しよう」

と言った。

「え？」

彼女が首を傾げる。

「俺の世界……じゃない、俺の国にはピラミッドってでっかい建物があってさ、信じられないかも知れないけど、四千五百年も昔に建てられたくせに、なんとあのインペリアルタワーよりもでっかいんだ。

でもさ、そんな大昔の話だろう？　それが一体どうやって建てられたのか、当時の状況は殆んど分かってなかったんだ。ところが近年になってヒエログリフっていう古代文字が解読されたら、当時の状況がかなり分かるようになってきた。

それまでピラミッド建設は、奴隷が強制労働させられていたと思われていたんだけど、実は違って、彼らはちゃんと国に雇用された期間労働者だったんだ。

王様が建設現場に飯場を作って、労働者はそこでの飲み食いが保障された。だから、休耕期の農民や口減らしにあった三男坊四男坊なんかが喜んでやってきて、ピラミッド建設に従事してたんだって。国策の、救済事業だったんだよ。

期間中、休みは無かったそうだけど、ちゃんと給料だって出た。当時はまだ貨幣経済とか無かったから、塩や玉葱なんかの食品が支給されてさ、みんな玉葱を担いで家に帰ったわけだ。

そう考えると面白いだろ。この玉葱が、古代では金貨の代わりだったんだぜ？」

滔々と語る但馬の話を黙って聞いていたアナスタシアは、相変わらず、眉毛が困ったまんまの独特な無表情で言った。

「みんな……家に帰ったの？」

「え？」

「食べるものが無いから家から追い出されたのに、食べ物を持ってどこに帰ったんだろう……」

なるほど……単身赴任のお父さんも確かに居ただろうが、その殆んどは口減らしで流れてきた青年だったろう。だとしたら、彼らは玉葱を担いでどこへ帰ったのだろう……現地で女を見つけて、所帯を持ってたりしたのだろうか。

「先生、それから……」

「ん？」

「アンナじゃなくて、アナスタシア……」

そんなことを、しんみりと言う彼女の顔は相変わらず無表情で、何を考えているのかは分からなかった。

その後、彼女は何かに納得したかのように礼を言うと、大事そうに紙を胸に抱いた。但馬は玉葱をお手玉しながら、こんなの生じゃ食えないしどうしようかと、格好付けたのをちょっと後悔した。

水車小屋の売春婦たちの朝は遅い。だからアナスタシアは誰のために朝食を作ってるのかな？　と思ったが、暫くすると昨日の子供たちがやってきた。お相伴に預かり、また昨日のように子供たちにも手伝わせて、紙漉きを再開する。

昨日、帰る前に煮込んでおいた低木を鍋から取り出すと、付着していた不純物を取り除いた。一晩アルカリ溶液につけておいたので、不純物が下方に沈殿し、木は手で裂けるくらい柔らかくなっていた。

それを昨日のビーターでガンガンやっていたら、まだ時間が早すぎたみたいで、うるさいとクレームが来た。しゅんとしながら表に出る。正直、手作業で叩くのは無理だと思っていたのだが、実際に紙が出来るのを見たからだろうか、子供たちがやる気になって全部やってくれた。

昨日のようにまた簾でパルプを掬って平たくした紙を乾かし、余った時間で子供たちと遊んだりしていたら、正午近くになってシモンがやってきた。

彼は紙の出来具合を見て、

「すげえ……マジで紙じゃないか。早速、王様に報告に行かなきゃな」

「いや、まだ早い。これからが本番だ」

「はあ……？　これ以上、何をやる必要があるんだ？」

昨日今日、作っていたのは和紙みたいなもので、国王が欲しがったのもこれで間違いないだろうが、但馬が欲しいのはそうじゃないのだ。

彼が欲したのは所謂ちり紙、昭和初期の新聞などに使われていた、大量生産に適したペ

ラペラで柔らかい紙。つまり、

「こんなんでケツを拭いたら、肛門が切れちゃうじゃないか」

日本人による紙の年間使用量は、一人につきおよそ210キログラム。これをリディアの人口十万人に当てはめると二万一千トン、将来的に、この国はそれだけの紙を消費する可能性を秘めているわけである。

これだけの量を、サトウキビの搾りかすやトウモロコシの皮だけで作り出そうとしても、あっという間に尽きてしまうだろう。現実でも、製紙工業が盛んになると、まず材料不足に悩まされることになった。その結果、新しい方法を考え出さねばならなくなったのだ。

そこで登場したのが砕木パルプである。

これは読んで字の如く、木を砕いて作るパルプであり、材料は木であれば何でも良い。因みに、木の種類によって繊維の質が変わり、例えば針葉樹の特徴としては硬くて強い紙になりやすく、広葉樹は逆にしなやかで強度の弱い紙になりやすい性質がある。

しっかり下処理したそれまでの紙とは違い、強度に劣るので低級紙として扱われるが、弱いということは柔らかいということであり、柔らかいということはケツが拭きやすいということだ。

「あんたの国……本当にケツを拭くための紙ってのがあったのか。冗談だと思ってたのに」

「おいおい、俺が今まで嘘を吐いたことがあったかい」

「……え？」

さて、そのトイレットペーパーの歴史はやはりと言うべきか、古代中国に端を発する。当時の紙漉き職人が皇帝のご不浄用に献上したのが始まりで、遣隋使を通じて日本に伝わったのもかなり早く、平安時代にはもう貴人が使うものとして、延喜式に記録が残されているそうである。

話を戻そう。シモンに作ってもらったもう一つの機械は、頑丈な石臼みたいなもので、下の台に固定した材料を、上から押しつぶすように砥石面がグルグル回転して削るという構造をしていた。

これを水車で動かし、水をかけながらゴリゴリ木材チップを擦り下ろすと、簡単に繊維が解れてパルプ状になる。

これが砕木パルプである。これがもう、そのまますぐに紙になってしまうのだ。

必要なのは、擦り下ろす前に、チップを蒸気に当てたり煮たりして柔らかくしておくことくらいなのだが、

「……こんなんでも出来ちゃうわけ？　見た目は昨日のドロドロと全然違うけど」

「木をそのまま削っただけで、不純物が大量に混じっているからな。本当ならこのあと不

純物を取り除いたり、漂白したりするんだけど……」

　この際に使われる薬品が苛性ソーダ、いわゆる水酸化ナトリウムなのであるが……小学校の理科の実験でもお馴染みの劇薬で、薬局で簡単に手に入るものであるが、残念ながらこの異世界では一日中探し回っても見つからなかった。

　市内をうろつき、駐屯地の医師のところまで出向いても見つからず、はあ？　なにそれ？って顔をされるばかりだった。

　そして途方に暮れていたところでようやく気づいた。水酸化ナトリウムは天然には存在しないのだ。

　ほっとけば空気中の二酸化炭素と反応して重曹になってしまうから当たり前だ。ありふれた薬品であるから、すぐに見つかると思っていたのだが、当てが外れてしまった格好である。

「そんなわけで現状はもうお手上げで、これでよしとしたわけさ」

「俺としては昨日作った紙で十分だと思うけど？　実際にケツを拭こうなんて人は、あんたくらいのものだろう」

「いや、だとしても駄目なんだ。大量生産して安くばらまかないと、すぐに商売にならなくなる」

「どうして？」

「昨日、今日とやってみて分かっただろう？　紙漉きってのは意外と簡単なんだよ。初めのうちは羊皮紙と同じくらいの値段で売れるだろうが、作り方がわかってしまえば、あっという間に真似される。そしたら大暴落だ。だったら、最初から安価で提供してやればいい。そしたら誰も真似しようなんて思わないだろう？」

「ははぁ～……なるほど。さすが詐欺とは言え、一時でも大金を手に入れた人は考えが違うな。地道にコツコツやってくって発想はないんだ」

別にちんたらやっていたいならそうすれば良いだろうが、アナスタシアの借金を一日でも早く返したいという当初の目的を忘れたのか。

彼女がいる手前、黙っていたが、シモンもすぐに思い至ったらしく、バツが悪そうな顔をしていた。

結局、その後は黙々と作業し、その日は低木から作った紙と、砕木パルプで作った紙を天日干しし、日が暮れたら中に取り込んでおいてくれとアナスタシアに頼んでから城壁内に戻った。

街へ帰る途中、駐屯地に寄るというシモンと別れて、一人で市街の門を潜った。何しに行くかはバレバレだから敢えて聞きはしなかったが、恐らくブリジットに報告に向かったのだろう。

ブリジットは水車小屋で作業するようになってから、全然姿を見せなくなった。てっきり放任されてるのだと思っていたが、どうやらシモンを利用しているようである。なんやかんやシモンは軍人だし、ブリジットはその上司である。あまり趣味の良い話ではないが、宮仕えの苦しいところだろうか。

そんなことより、このところ留置所で寝たり、植え込みで寝たり、ベンチで寝たり、ゲロったり。ロクな環境で眠れてないので、今日こそどこかの宿に泊まりたいところである。そう思って市内の宿屋をあちこち回ってみたのであるが、例の高級ホテルの騒ぎを知っているのか、どこもかしこも門前払いで泊めてくれる宿がない。

ここはネカフェも終夜営業のファミレスもない異世界である。どうすりゃいいんだと途方に暮れ、結局、いつものように中央広場まで戻ってきたのだが、普段なら昼の屋台と夜の屋台が入れ替わる時間になっても、今日はいつもの飲み屋のおっちゃんが来なくて、なんだか人影も疎らであった。

どうしたんだろう？　と思って、適当な屋台を捕まえて尋ねてみたら、

「ほれ、西の空でセレネーが、もう沈もうとしてるだろう」

セレネーとは二つある月の一方のことみたいで、

「今日あたりぼちぼち、月が一個隠れちまうから、これから暫くは夜の営業が少なくなるのさ」

どうやら月の公転周期の違いから、二つが同時に夜空に上がっているのは、一月に十日前後のことらしい。月が一つしかなければ、地球と同じだ。街灯もない世界だから、夜は暗くて人は出歩けないのだ。

「それに、今日は大晦日だ。正月くらいはみんなゆっくりするものさ」

と言い残し、屋台のおっさんは去っていった。

そうか、もう大晦日だったのか……。

突然、異世界に飛ばされて、帰る見通しも立たないまま、ぼちぼち十日ほどが過ぎようとしていた。日付も曜日の感覚もガラリと変わってしまって、あまり意識していなかったが、こっちの世界は今年ももう終わりらしい。

但馬の記憶が確かなら、飛ばされてくる前は七月だったのだが、リディアは常夏の国だから、殆ど違和感がなくてそのまま馴染んでしまっていた。異世界だといっても、但馬がいるのはずっと街中で、食生活も元の世界とあまり変わらないから、それこそ月が二つも上がってなければ、海外旅行をしているような感覚でしかなかったのだ。

その月も片一方が隠れてしまって、夜空に一つしかなければ、自分がどこにいるんだか本当に分からなくなってくる。

月明かりに導かれるように、広場から埠頭の方へと歩いてきた。

港に来るのは初めてだったが、埠頭はやはりコンクリートで出来ていて、見た感じ地球のそれと殆ど変わりなかった。ただし、停泊している船がみんな木造のガレー船で、それがとんでもなく違和感を醸し出してはいたが……いや、こっちの人からしてみれば、これが普通か。

きっといつもなら釣り人がいるのだろうが、大晦日だからか人影はまるでなく、打ち寄せる波の音だけが静かに辺りに響いていた。

堤防から離れて海岸へと足を運び、白い砂浜の上をテクテクと歩いていたら、やがて遠くの方に製塩所のでっかい煙突が見えてきた。こちらは年末年始も関係ないのか、モクモクと煙を吐き続けている。

揚げ浜式のいわゆる塩田というやつで、砂浜の上に海水のプールを作り、それを天日干しして乾いたら、砂ごと煮炊きして不純物を取り除いていくという、昔ながらの製塩法だ。

これには煮炊き用の燃料がたくさん必要になるのだが、この国は石炭がいくらでも掘れるから、それが有利に働いて、他国に売るくらい大量生産されているらしい。

ところで現代日本では、とても需要に対応しきれないので、このような塩田方式は戦後には廃れて、今では主にイオン交換膜製塩法というもので電気的に生産されている。

食塩、いわゆる塩化ナトリウム（NaCl）は、水溶液中でNa^{+}とCl^{-}というイオンの状態で存在しているが、電極を突っ込むと、それぞれ電極のプラス、マイナス方向に吸い寄せられる。その性質を利用して海水中の塩を濃縮するのだ。

この際、+電極では塩素ガスが、−電極では水素と水酸化ナトリウムが生成されるわけだが……。

「……ないなら、作ればいいのか」

但馬は製塩所の煙突を見ながら、誰にともなく独りごちた。

昨日今日と使った機械の出来具合からしても、シモンの工作能力は確かなようだ。ならば、あとは自分の設計次第でなんとかなるんじゃなかろうか……？

彼は回れ右すると、今来た道を戻り始めた。

一章

10・父子喧嘩と初日の出

人影がすっかり疎らになった大通りを通り過ぎ、鍛冶屋の建ち並ぶ商店街へと戻ってきた。みんな新年を迎える準備で忙しいのか、どの家からもそわそわとした気配が伝わってきたが、出歩いている者は一人もいなかった。

シモンの家の鍛冶屋まで来ると、営業時間はとっくに過ぎていて、店は戸締まりがされていた。玄関から声をかけようと思ったのだが、水車小屋とは違ってちゃんと閂がかけられているから中に入れそうにない。

どうしたものかと困っていたら、裏手へと続く路地から灯りが漏れているのに気がついた。どうやら、家族の出入り口はこっちにあるらしい。覗き込むと轟々と火を焚く音と、人の気配がした。

「シモン、居るのか？　ちょっと話があんだけど」

路地に向かって声をかけると、暫く間があってから、

「……入ってきなさい」

と、聞き覚えのない男の声が返ってきた。

どうしようか？　と躊躇いはしたが、声の主が入ってこいと言ってるのだから、逆らう理由もないだろう。但馬は勝手口から中に入った。

そこは鍛冶場のようで、中では見知らぬ男がじっと炉とにらめっこしていた。男がフイゴを踏むと、それによって火力を増した木炭が赤白く輝き、なんとも美しい光彩を放った。男が炉に細長い鉄の棒を入れて、あぶるように上下前後に動かし、やがてそれが熱を帯びて灼熱し出すと、どこかで見たことのあるようなシルエットが浮かび上がった。

それはまるで日本刀のようだった。しかし、まっすぐ一直線に伸びていて、まだ日本刀特有の反りがない。

まさかな……と思いつつ、但馬が目を離せないでいると、やがて男は満足したような表情を作り、さっと炉から刀身を引き抜いたかと思うと、それを間髪を容れずに水桶の中に突っ込んだ。

ジュウウウウ～～～～～！！！

っと、もの凄い音を立てて、水蒸気が弾けるように辺り一面に広がった。ふいの暑さと音の大きさにたじろいで、但馬はよろよろと後退った。勝手口の扉に肩がぶつかって、キイキィと音を立てる。

男はそんな但馬には見向きもせずに、出来上がった刀身についている泥をそぎ落として、作業場にあったランプに手当たり次第に火を入れ、真っ昼間みたいに明るくすると、光に翳して出来具合を確かめていた。

そのシルエットは、もう間違いようもない、日本刀そのものである。

日本刀は、鉄を叩いて延ばしては折り、叩いて延ばして折ることを繰り返す、いわゆる鍛造精錬で作られている。その最終工程では、焼き入れと呼ばれる灼熱した刀身を急速冷却する作業が入るのだが、その結果、鉄は性質が変わって硬い鋼となるのだ。

また、その焼き入れの直前には土置きという、刀身に刃文を施すための作業があり、それは粘土や砥石粉などを混ぜて練った土を、文字通り刀身に置いていく（塗る）ことなのであるが……刀身の刃の部分には薄く、背の部分には厚く置くので、そのまま熱を加えれば、刃の部分と背の部分とで温度差が生じる。その状態で灼熱した刀身を急速に冷却すると、日本刀独特の反りが生まれるというわけである。

もちろん、そんな独特な作業を、この世界の人たちが偶然やってるとは思えず……。

「それって、やっぱり勇者考案なんですかね」

と聞くと、男はちらりと但馬のことを目だけで見てから、また集中するように刀身を見つめながら、訥々と答えた。

「今から四半世紀ほど前になるか、その頃から勇者様は、大量の武器をお作りになられるようになったんだ。何を考えていたのかは、今もってよく分からないが、あのお方は様々な武器を考案なさるが、鍛冶（かじ）仕事となると、これが下手っぴいでね……見るに見かねて、若（わか）い衆（しゅう）が手伝うようになったんだ。その時、作ったのがこれだ。

　当時の刀工連中は頭の固い爺（じい）さんばっかりで、下手糞（へたくそ）な彼（かれ）のやり方にまるで興味を示さなかったが、俺（おれ）たちはそんなの気にしないから、彼から色々なことを学んだよ。君も……まだ若いようだが、その口なのか？」

「いや、ちょっと勇者に興味があって、色々調べてるんですよ」

「そうか……この国の者なら、そうかも知れないな。これは太刀（たち）といって、勇者様が愛用していた刀剣（とうけん）を模したものだ。中々作るのが面倒だから、どこにも出回ってはいない」

「ダマスカス鋼……えーっと、独特な刃文の刀剣類（とうけんるい）も見かけましたが、あれも勇者考案なんですか？」

「ほう……その名前も久々に聞くな。あれを作ってるのは俺の仲間だよ。君の想像通り、外から入ってきた技術だ」

　そう言うと、彼はキラキラと輝く刀を水桶の縁（ふち）に置いた。苦みばしった渋（しぶ）い男で、恐らくはこの家の主人で、シモンの父親なのだろう。体は息子（むすこ）より一回り小さかったが、腕（うで）や胴周りは逆に一回りサイズが大きいようだ。

　但馬は店の棚にかかっていたマスケット銃のことを思い出し、それについても尋ねてみようと思ったのだが、

「親父ぃ～！　いつまで仕事してんだよ。お袋がさっさと飯食えってよ」

　その時、但馬が立つ勝手口とは逆方向の扉から、シモンがひょっこりと顔を出した。多分、その奥が住居になっているのだろう。彼は但馬がいることに気づくと、

「あれ？　先生？　どうしたの、こんな時間に。俺に用事？」

「……先生？　そうか。君が、例の先生か……」

　すると但馬が返事をするよりも速く、父親のほうが反応した。機先を制された但馬がぺこりと頭を下げると、彼は先程とは打って変わって苦々しそうな表情を作り、

「息子から話は聞いているが……あまりこのぼんくらを惑わさないでくれないか。今回の騒動は肝を冷やした。一体、君はこの国で何をしようとしているのかね」

　つっけんどんにそう言い放った。

「おい、親父やめろよ。恥ずかしいだろ」

「俺たちは移民で立場も弱い。今回はお咎めなしで済んだが、次もそうとは限らん。それに近所の目もある。あの日からずっと、うちは煙たがられて客も寄り付かんのだぞ」

「だから、やめろって言ってんだろっ!!」

「それもこれもおまえのせいじゃないか！　おまえはっ！　この国から追い出されたら、俺たちはもう行く場所がないんだぞ。おまえ一人なら勝手にすればいいが、俺たちまで巻き込むなっ!!」

　うわ～、ものっ凄く歓迎されてない……但馬は冷や汗をかきながら、ペコペコと頭を下げて言った。

「すみませんすみません。もう悪さはしないんで、喧嘩はしないでくださいよ」

「ならちゃんと説明したまえ。今度は一体何をやろうとしているんだね。場合によっては無理矢理にでも止めるぞ」

「親父は関係ないだろ、すっこんでろっ！」

「関係あるから言っているんだろうが。どうしておまえはこう……博打みたいな方法ばかり好むんだ。もっと地道に稼ぐということを考えられないのか」

「そんなちんたらやってられないから、こうして頑張ってるんじゃないか。俺のために骨を折ってくれてる先生相手に失礼なこと言うんじゃねえやっ」

「地道の何が悪い。みんなそうやって生きているんだ。あぶく銭ばかり求めているから、いつまでたってもお前は中途半端なんだ。ちゃんと地に足をつけた働き方をしろ」

「偉そうに言いやがって。その結果、てめえの親友の娘があんなことになってても、見て見ぬふりなのかよ。そんなのが生きてるって言えんのかっ!!」

シモンが叫ぶように言うと、父親は奥歯をギリギリと噛みしめながら押し黙った。

もうやめて。但馬のライフはゼロよ……但馬はおっかなびっくり、二人の間に割り込むと、

「あーあー、もーもー！　いやもう、ほんっと！　今回ばっかりは俺が悪かったんで！　謝りますから、二人が喧嘩しないでくださいよ。ね！　お願いします！　シモンも、ここは俺の顔に免じて引いてくれよ、な?」

但馬にそう言われたシモンは苦虫を噛み潰したように表情を歪めると、フンッと顔を背けた。やれやれ……と但馬が冷や汗を拭っていると、父親がまた聞いてきた。

「それで……今度は何をしているんだね、二人でコソコソと……」

「コソコソなんてしてねえだろうがっ！」

「わー！　わー！　やめろよ、シモン。俺が説明するから」

どの家庭もそうではあるが、父と息子というのはどうしてこう折り合いが悪いんだろうか。但馬はお爺ちゃんお婆ちゃん子だったので、親子喧嘩というものに非常に弱かった。

そんなこととは露知らず、すぐに突っかかっていこうとするシモンの前に立ちふさがるよ

うにして、彼は愛想笑いを浮かべて説明をした。

「今度こそ大丈夫ですから、お父さんも大船に乗ったつもりで安心してくださいよ。今回はですねえ、地道～っに商品開発してますから、間違いありません。それに、なんと言っても依頼主は王様ですよ、王様！」

「君なあ……嘘を吐くなら、もう少しまともな嘘をだね……」

「いや、本当なんですって。監督者として、シモンの上司もついてますし、なんだったら大臣あたりに一筆貰ってきても構いませんよ」

そういえば、裁判の後に安請け合いしちゃったからあれだが、あとで反故にされないよう、本当に書類を作ってもらったほうがいいかも知れない。

「そうだ、お父さん。良かったら一度、見学にいらしてはいかがでしょうかね。既に、いくつか試作品も出来てますし、明日にはまた違うのが出来上がる予定です。怒るなら、それを見てからでも遅くはないですよ？　ね？」

「……それで、何を作ってるんだい」

「ああ、まだ言ってませんでしたっけ。紙ですよ。紙」

「髪？　髪ってえと……カツラでも作ろうってのかい？」

「髪の話はするなっ！」

反射的にお約束の突っ込みをすると、親子揃ってビクッとなっていた。やはり血が繋がってるからか、その仕草はそっくりである。

「いや、髪の毛じゃなくって、紙です、紙。羊皮紙の代わりになるものを開発してるんですよ」

「……本当か？　シモン」

「ああ、俺は見た。本物だ。今、試作品はアナスタシアが持ってる」

「アナスタシアが……」

そう呟くなり、シモンの父親は急に黙りこくってしまった。彼はじっと何かを考える素振りをしてから、

「……母さんが呼んでたんだったな。飯が出来たのか……」

と言って、何の返事もせずに、家の奥へと引っ込んでしまった。

あら？　どうしちゃったんだろ……？

首を捻ってると、トンと肩を押されてシモンに勝手口から外へと追い出された。多分、喧嘩になりかけた手前、一緒には戻りづらかったのだろう。シモンも続いて出てきて、二人は何も言わずに表通りへと足を向けた。

但馬は彼に先導されるかのように、夜の街を歩いた。シモンは暫くの間黙って歩いてい

たが、

「親父と、アナスタシアの親父さんは、まあいわゆる幼馴染で、親友同士だったんだよ。北方大陸でも一緒。そこから逃げてくるときも一緒。所帯持ったのもほぼ同時。今は違うけど、昔は隣同士だったんだ。親父は見ての通りの鍛冶屋で、対するアナスタシアの親父さんはなんていうか発明家だった」

それは以前にも聞いた。確かゴムの加硫法をもたらしたのが彼女の父親のはずだった。

その他にも色々と手を出して、借金で首が回らなくなったそうだが……。

「彼は親父のことを信用してたから、いつも何かを作るとなると、まず親父に相談してたんだよ。パートナーみたいなもんだった。だから、親父は彼がとんでもない借金をこさえているのを知ってたんだ。でも止めなかった……」

博打のようなことはするなと、彼はシモンに言っていた。それは親心だけじゃなくって、彼自身が以前、親友を止めることが出来なかった過去があるからというわけか。

「親友が首を括ってるのを、最初に発見したのも親父だった。借金取りは取れるところから取ろうとするからさ、もちろんうちにもやってきたんだけど、関係ないの一点張りで突っぱねた。結局、ジュリアさんや娼婦のみんなが立て替えてくれたから良かったんだけど……だからだろうか、親父はそれ以来、水車小屋には一切近づかなくなったんだ」

「そうだったのか」

　そうとは知らず、但馬が誘ったものだから、彼は動揺してしまったのだろう。もちろん、無理に来いとは言わないし、それを非難するつもりもない。大体、彼は今回の件には関係ないのだ。せめてシモンの邪魔をしないでくれればいいのだが……。

　二人はそれ以上、会話を続けることもなく、街を一回りしてから別れた。

　公園に戻ってきても、いつもの屋台のおっちゃんは見当たらなかった。見知らぬ屋台で飲む気にもなれず、但馬はベンチにゴロリと横になって空を見上げた。

　普段とは違って月が一つしかない。まるで地球みたいな夜空に、何故だか今は懐かしさよりも不安を感じた。

　それはこの世界に慣れてきてしまったせいだろうか、それとも別の要因だろうか……。

　但馬はギュッと目をつぶった。ホームレスにはうってつけの気候だが、さすがにそろそろ、どこかに腰を落ち着けなきゃならない……。

　そんなことを考えながら、その日は眠りに落ちた。

＊＊＊

しかし、結論から言えば、シモンの父親は水車小屋へやってきた。

翌朝、但馬はとんでもなく早く目が覚めてしまった。前日、早めに眠りについたせいか、それとも久しぶりに飲まずに寝(ね)たお陰(かげ)だろうか。一度目が覚めてしまったら、二度寝(にどね)しようにもまるで寝付けず、仕方ないので起きだして、顔を洗いにダラダラと水場までやってきた。

異世界でも初日の出を見る人たちはいるようで、早朝だというのに街はすでに騒がしかった。その辺は屋台のおっちゃんらも抜かり無(な)く、早朝から温かい食べ物や飲み物を、いつもの公園から出張して港の堤防前で売っていた。

その堤防の上に、初日の出を拝む人たちがずらりと並んでいるのが見えた。せっかくだからと、但馬も列に加わり、堤防の縁に腰掛(こしか)けながら初日の出の瞬間(しゅんかん)を今か今かと待っていた。

すると偶然にも、昨日会ったばかりのシモンの父親と出くわしたのである。

「あ、どうも……新年、明けましておめでとうございます……」

「……おめでとう」

昨日の今日だから、彼は少々バツが悪そうな顔をして、ぷいっと顔を背けてしまった。

滅茶苦茶(めちゃくちゃ)気まずい……。

どうせなら、そのままどこかへ行ってくれればいいのだが、彼はその場から動こうとしなかった。但馬の方からどこかに行こうにも、避けてるみたいで感じが悪いし……ああ、彼も同じような気分なのかと思い至るも、それが分かったところで、この雰囲気からは逃れられそうもなかった。

シモンはどうしたんだ。居るなら助けろよと思いもしたが、昨日の感じからして、家族みんなで来ることなんてないだろう。援軍は期待できない……沈黙が流れる中、東の空に太陽が昇り、誰からともなく拍手が起きた。但馬もヤケクソ気味に拍手をすると、

「それじゃ、そろそろ自分は行きますんで……」

と、その場から逃げるように立ち去ろうとした。すると、

「……昨日言っていたあれは、本当なのかい？」

「え？」

「紙をどうとかというのは……」

「ああ、はい……昨日、仕込んでおいたから、ちゃんと出来てるかこれから見に行くところです」

「そうか……」

立ち去ろうとする但馬の背中に話しかけてきたシモンの父親は、彼に続いてのろのろ立

ち上がると、何かを決心するかのように居住まいを正して、こう問いかけてきた。

「君は……アナスタシアを助けようと……助けられると思ってるのかい？」

助けようとはもちろん思ってるし、助けられればいいなとも思ってる。だが、結局はシモン次第だろうと考えていた。

紙の開発が成功したらボーナスの金貨一千枚が手に入る。この国の住人の所得は一年間におよそ金貨十枚だそうなので、それがいかに破格であるかは言うまでもないだろう。

しかし、このボーナスをそっくりそのままシモンに渡すつもりはない。当たり前だ。こっちだってボランティアじゃないんだし、向こうだって施しを受けようと思ってるわけじゃないだろう。

それよりも、狙いは五年間の専売権の方だ。但馬は自分の代わりにシモンにその仕事を任せるつもりだった。工場を建てて従業員を雇い、その責任者としてお金を渡せば、彼も立つ瀬があるというものだ。なんなら先払いとして無利子で金を貸してもいい。

そうして、彼に働いてもらっている間に、但馬はボーナスを使って勇者のことを調べることだって出来るだろう。ナイスアイディアだ。

「ええ、まあ、そのつもりですけど……」

というわけで、但馬はそう答えた。

するとシモンの父親は暫くじっと考え込んでから、最初は言いにくそうに、そのうち何か憑き物でも落ちたかのように、訥々と語り始めた。

それは彼の述懐というか、後悔というか、どうしようもない気持ちの吐露だった。ずっと背負ってきた重い荷物を下ろすような、そんな話を但馬は黙って聞いた。

「アナスタシアの父親が死んで、俺は親友の娘だからと彼女を引き取るつもりでいたんだよ。本当だ。だが彼女に莫大な借金が残されたと知って、躊躇した。どうすることも出来なかった。俺には金を稼ぐ術も才能も無かったからだ。コツコツと稼いでどうにかなる額じゃない。幸い、あの水車小屋を使っていた売春婦たちがどうにかすると言ってくれた。俺には息子もいる、女房もいる。だから無理だと自分に言い聞かせて、忘れることにしたんだ。

息子にはどうして助けないんだと散々責められたよ。正直、耳が痛くて仕方なかった。だが、それはお前たちを助けるためなんだって言い張って、俺は見ない振りを続けた。そしたら段々それが本当になってきて、いつか助けようと足掻く息子の方が間違っていると思うようになってしまった。

だから俺は、あいつにコツコツと地道にやるようにと、博打みたいなことはするなと、可能性を摘むようなことばかり言い続けてきた。あいつには出来ないって決め付けて。

自分の息子なのにな……いや、自分の息子だからか。結局、それは自分自身を誤魔化(ごまか)していただけなんだ」

そう呟(つぶや)く彼の顔に、そろそろ高くなってきた日が差した。彼は眩(まぶ)しそうに目を細めると、どこか遠くの方を見つめて言った。

「紙を作る……か。もしも本当に出来るなら、いっちょやってくださいよ。元々、俺に息子を邪魔(じゃま)する資格なんてないんだ。それに……親の贔屓目(ひいきめ)かも知れないが、あいつは俺と違って骨がある。だから先生。息子のことを、どうかよろしくお願いします」

そう言うと、シモンの父親は深々と頭を下げた。

但馬は大慌(おおあわ)てで頭を上げてくれるように頼んだが、聞き入れてはもらえなかった。初日の出の参拝客が、ジロジロと遠慮会釈(えんりょえしゃく)無く見ながら通り過ぎていく。但馬は冷や汗をかきながら、見せもんじゃねえとけん制しつつ、彼の言葉を噛みしめていた。

＊＊＊

「……勇者様の命令でマスケット銃は何丁か試作された。俺も試(ため)し打ちには参加したんだが、その威力(いりょく)には驚(おどろ)かされたよ。だが、北方大陸(セレスティア)は弾薬(だんやく)を作るのが難しくてな。試射しただけで、軍には配備されなかった」

「勇者はこっちの……ロディーナ大陸へ攻め込もうとしてたんですか？？」

「と言われているが、はっきり言ってわからん。俺にはあの優しかった勇者様がそんなことをするとは思えないし、彼を利用しようとしていた連中の嘘じゃないかと思っている。実際、噂が流れてからしばらくして、クーデターが起きたんだ。それで国が分裂してしまってどうしようもなくなったから、俺たちは土地を捨てて逃げてきたんだよ」

初日の出を見た後、水車小屋へ行く前にシモンの家へ寄ることにした。肝心のシモンがまだ寝ていたので、時間つぶしに前々から気になっていた、お店のマスケット銃について尋ねてみた。

やはりと言うべきか、これも勇者の産物だったらしい。ダマスカス鋼に日本刀に、マスケット銃まで作って、彼は何をしようとしていたのだろうか？

そんな話をしていると、ようやくシモンが起きてきた。

「……なんで、あんたら仲良くやってんの？」

「さっき散歩中の親父さんと偶然会って、新年のあいさつした流れでさ」

父親が同意するように頷く。昨晩の剣幕からは想像もつかない父を見て、シモンはすっきりしない感じに首を捻っていたが、喧嘩するよりずっとマシだと思ったのだろうか、必要以上に詮索はしてこなかった。

　但馬はそんなシモンに苦笑しながら、

「それよりシモン、昨日頼みそこねちゃったんだけど、仕事だ」

「ん？　なに？」

「また水車小屋で使う新しい機械を作って欲しいんだよ。仕組みは簡単だ。要するに金属板を回転させる機械が欲しいんだけど、回転軸がちょっとでも曲がってると困るから、その点は慎重にやってほしい」

「なんかわからないけど、精度が命なんだな？」

　シモンに発注をすると、そのまま工房にこもって細かい注文をつけながら、機械の制作を行った。途中で彼の父親に助言をもらったりして、やがてそれなりのものが完成すると、二人は動作確認のために水車小屋へ向かおうとした。すると、

「……え？　親父もついてくるの？？」

「ああ。おまえが作った紙という物を見せてみろ。本当に出来てるんならな」

「まあ……出来てるけど。なんでそんな上から目線なの？」

　授業参観で親が教室の後ろに並んでるような心境だろうか。シモンはなんとも形容し難い顔をしていたが、特に文句も言わずに受け入れていた。どちらかというと父親のほうが

少し緊張気味にさえ見えた。昨日の話からすると、その気持ちも分かる。

　親子を引き連れて、今となってはもう通い慣れてしまった道をテクテクと歩いた。目的地が水車小屋という名の売春宿であるから、通い慣れると言ってしまうとあれではあるが……。

　道中、父と息子は但馬を挟んで前後を歩いて一言も口を聞かなかった。但馬からも話しかけづらく、なんとも気まずい思いをしながら、元日から相も変わらず物乞いに精を出す男たちを尻目に、どうにかこうにか水車小屋までやってくると、

「あら……珍しいわね。いらっしゃい」

　普段より少し真面目なトーンのジュリアが、来客を出迎えてくれた。シモンの父親はご無沙汰していますと言って小さく頭を下げると、そのまま中へと入っていった。

　元々、ここのメンテナンスは彼がしていたそうだから、きっと案内はいらないんだろう。彼に続いて中に入り、暗い廊下を右へ左へ曲がりくねりながら、やがて日の差すドアにたどり着く。

　水車小屋の動力室に入ると、ここ数日お馴染みとなった娼婦の子供たちが、手持ち無沙汰に但馬のことを待っていた。彼が現れるや否や、おせえんだよこの野郎と、容赦なく蹴りを入れてくる。

他方、アナスタシアは但馬たちと一緒に入ってきたシモンの父親の存在に気づくと、珍しくちょっと狼狽(ろうばい)していた。多分、売春婦になってしまってから殆ど会っていなかったんじゃなかろうか。まるでキャバ嬢(じょう)が父親と出食わしてしまったかのような……たとえがたとえになってないが、なんとも言えない気まずい空気が流れた。

実際、どんな心境なのだろうか。二人は見つめ合ったまま、暫くの間、口を噤(つぐ)んで佇(たたず)んでいたが、そのうちアナスタシアの方が先に、いつもの彼女独特の眉間(みけん)だけ皺(しわ)の寄った複雑な無表情に戻(もど)ると、何事もなかったかのように昨日の製作物を手に戻ってきた。

但馬はそれを受け取ると、未(いま)だにドギマギしているシモンの父親に手渡(てわた)した。

彼は受け取った紙を裏表にして、ためつすがめつ確かめては、うーんと低い唸(うな)り声を上げていた。隣(となり)で息子がドヤ顔を決めていたが、そんなことにも気づかないくらい、緊張した面持(おもも)ちで、なおかつ熱心に見ている。ここに来るまで、本当に半信半疑だったのだろう。

昨日の帰りがけに作っておいたのは二種類。低木の皮を剥(む)いて作ったものは、結局和紙みたいなものだから、昨日のサトウキビと同じくしっかりしていた。

他方、砕木(さいぼく)パルプの方も特に問題なく紙になっていたが、表面が茶色く、古紙みたいにペラペラで、くしゃくしゃ丸めてもカサカサと角ばってしまい、品質が劣(おと)るのがはっきりと見て取れた。

何故、こんな風になってしまうのかは、何度も言っている通り、不純物がそのまま残ってしまっているからだ。

植物の細胞壁は主にセルロースで形成されているが、大木の硬い樹皮には、リグニンと呼ばれる高分子が大量に含まれている。

およそ五億年前、海の中から地上に進出してきた植物は、まずはコケ類が岩肌を覆うように二次元に広がっていき、遅れてシダ類が三次元方向に上へと伸びていった。

シダ類が上に伸びたのは、要するに太陽光の奪い合いの結果であったが、まだ地上に自分たち以外には競争がなく、上に伸びれば伸びるほど光合成のチャンスが増えたから、シダ類はどんどん巨大に、百メートルを超える巨木へと進化していった。

ところが、大きくなることだけに特化していた初期のシダ類は脆弱で、台風が来たら簡単に倒れてしまっていたらしい。すると、結局は台風が来ても倒れない方が有利になるから、やがて植物は上に伸びるのではなく、身を硬くする方向へと進化していった。

その結果、植物は木部と呼ばれる外骨格と、師部と呼ばれる内部組織を形成するようになったのだが、この木部に多く含まれてるのがリグニンである。

リグニンとは芳香族化合物の一種で、野菜を煮込んだ灰汁にはポリフェノールが含まれるというが、その仲間である。化学的にいえば、ベンゼン環という安定した構造を持ち、セルロースと結合したリグニンを分離するのは非常に困難だ。

　事実、植物がリグニンを作るようになった時、土中の微生物にはこれを分解する能力がなかった。その結果、倒れた大木は幾重にも折り重なって地層となった。それが今でも地下に石炭が大量に眠っている原因である。地球はこのリグニンを、一億年近くも放置するしかなかったのである。

　話を聞いていたシモンが目を回しながら言った。

「そんなものを除去出来るのか？」

「出来る。そのために今朝、仕掛けを作ってもらったわけだ」

　その方法とは、苛性ソーダ、いわゆる水酸化ナトリウム水溶液で煮込むことである。これを蒸解というのだが、これによってパルプ中のリグニンは除去され、黒液と呼ばれるタール状の液体として抽出されるのだ。因みに黒液をろ過した水溶液は、何度でも再利用が可能である。

　さて、この水酸化ナトリウムの精製方法は、以前に述べたとおり、食塩水の電気分解で得ることが出来るわけだが、

「電気……ってなに？」

　珍しく、アナスタシアから質問が来た。基本的に必要なこと以外喋らない子であるが、

本当は水車動力や機械に興味があったのかも知れない。考えてもみれば、この水車は彼女の亡くなった父親が使っていたものだ。

「えーっと……電気ってのは、要するに雷のこと。空がビカビカって光るだろう？　あれだよ」

「……雷が降ってくるのを待つの？」

「いや、そんな悠長なことはしてられないから。人工的に作り出すんだ」

つまり電磁誘導をしようというわけである。エルステッドにより発見され、後にファラデーによって体系化された電気と磁気の法則だ。

小学校の理科の実験で、鉄心に銅線を巻きつけたコイルに電気を流し、電磁石を作った経験なら誰にでもあるだろう。

この時に流れてるのは電流で、誘導されるのは磁力であるが、逆に電気を流さず、コイルに磁石を近づけたり遠ざけたりしたらどうなるだろうか？

無論、電気が生じるのだ。

電気と磁気は相関関係にあって、お互いに誘導しあう性質がある。ざっくり言えば、これが発電機の仕組みだ。

ところで、ここで一つアイディアを出そう。今度はコイルではなく、静止する磁界内で鉄の円盤を回転させたとしたら、どうなるだろうか？

　この場合、円盤の中心点と外周部に電位差が生じるのだ。

　これは単極誘導と呼ばれる原始的な直流発電法なのだが……この円盤発電には以下の通り、極めて興味深い特徴がある。

・磁石を固定して円盤を回転させると電気が流れる。
・円盤を固定して磁石を回転させても電気は流れない。
・磁石と円盤を一緒に回転させると電気が流れる。

　特に、この三番目の特徴は直感的にも理解し難いだろう。理解し難いついでに言えば、逆に止まってる円盤に電気を流せば、円盤が回転しだすのである。これを単極モーターというのであるが……。

「まあ、今はモーターのことは置いといて……百聞は一見にしかずだから。今朝作ってきた機械を動かしてみようか」

　シモンと作ってきた装置はシンプルな作りだ。鉄の円盤に、ドーナツ形の磁石を、絶縁体のゴムを使って貼り付ける。その中心に車軸となる鉄心をくっつけ、コマみたいにして

回転させるのだ。

この中心部から伸びている鉄心は導体だから、鉄心と円盤の外周部にそれぞれ銅線を接触させれば……バチバチバチバチッ!!　と、火花が散るという寸法だ。

「これが電気。今、この銅線内に電気が……雷の成分っていうのかな？　が通り過ぎたの。それが空気中で火花を散らした」

「……先生、こういうのって、どうやって知るの？　紙だけでも信じられないくらいなのに」

シモンが目をパチクリしながら呆れるように呟いている。日本人をやってれば高校で習うのだと言っても仕方ないので、まあ、ちょっとね……と誤魔化した。

「それで、これを使って何をするの……？」

決まっている。もちろん電気分解だ。

＊＊＊

まずは食塩水を作ってくれと、港で手に入れてきた塩を渡し、適当な鍋に作ってもらった。

その間にシモンと作った発電機から伸ばした銅線の先に、グラファイトを粘土で固めて焼成した炭素棒……要するに鉛筆の芯を繋いで、作っておいてもらった食塩水に浸した。

すると、ブクブクと沸騰するかのように、炭素棒の周りに気泡が生じはじめた。

「この気泡は有毒だから、窓を開けて換気してね？」

顔をくっつけるようにして見ていたアナスタシアが、慌てて窓を開けに飛んでいった。

食塩（$NaCl$）は以前にも述べたとおり、水溶液中ではNa^+とCl^-というイオンの状態で存在している。水（H_2O）自体も、液体としてはH^+とOH^-というイオンの状態で存在しており、これらが電極の＋－に引き寄せられると、＋側ではCl^-が電子を放出して結合し、塩素ガスが発生する。そして－側ではH^+が結びついて水素が発生する。

この結果、水溶液中はどんどんH^+とCl^-が失われていき、やがてNa^+とOH^-だらけになって、最終的にその二つが結びついて、$NaOH$、水酸化ナトリウムが生成されるわけであるが、

「まあ、実際は塩素が水に溶けるんで、正極側で次亜塩素酸ってのが発生して、出来上がるのはその混合液なんだけど……」

その出来上がった溶液を、水で希釈してからさらに電気分解していくと、どんどんどんどんCl^-が放出されていき、やがては水酸化ナトリウム水溶液だけが濃縮されて出来ると

いう寸法だ。

本来なら半透膜を用いて、水溶液が混ざらないようにすればいいのだが、ないものは仕方ないので、今はこうするしかない。リグニンを抽出する溶液は、一度作ってしまえば何度でも再利用が可能なので、多少時間がかかってもやる価値があるだろう。

そう考えてのんびり構えていたのだが、やはり見ている方は飽きるのだろうか、

「もっと早くする方法はないのか？」

とシモンが言う。

「電圧を上げればもう少し早くなると思うけど……」

「どうすりゃいいんだ？」

「円盤を大きくするか、回転を速くするか、磁石を強くするか、この三つだ」

「うーん……この水車じゃ、これ以上は難しいかな」

そんな話を二人でしていたら、

「……もっと強力な水車があればいいのか？」

この小屋に来て、殆ど喋らずにじっと息子たちの作業を見守っていたシモンの父親が、おもむろに声を発した。

その場にいた全員が振り返る。

その注目に、一瞬、たじろいだ父親であったが、すぐに気を取り直すと、

「もしかしたら、君なら役に立ててくれるかも知れない。ついてきなさい……」

そう言って、彼は返事も聞かず、水車小屋の外へと歩き出したのだった。

一章

11・一体、どこまでやっていいのか

水車小屋での作業を見学していたシモンの父親は、但馬と息子の会話を後ろで聞いていたかと思えば、突然、何かを思い出したかのように言った。

「もっと強力な水車があればいいのか？」

それはどういう意味だろうか？　戸惑っていると、彼はついてきなさいとだけ言って、黙って部屋から出ていってしまった。

但馬たちは顔を見合わせてから、彼に続いて部屋から出ると、遅れてアナスタシアも小走りに追いかけてきた。三人が水車小屋から出ると、彼は外にいたジュリアと何やらボソボソと小声で話し込んでいる最中だった。

「あら、あれを見せてあげたいの～？　いいんじゃな～い？　あたしは隠す必要なんてぇ～、無かったと思うしぃ～？」

ジュリアはアナスタシアの姿を見つけると、感慨深げに、何か含みのあるようなセリフを口走った。毎日顔を合わせているのに、なんでそんな顔をするのだろうか。戸惑う三人

をよそに、父親は彼女に礼を言うと、またこちらを振り返ることもなく、スタスタと歩いていってしまった。息子のシモンが、一体なんのつもりなのだ？　と問いかける声も無視して、彼はどんどん突き進んでいく。

　水車小屋から川に沿って更に上流に遡っていくと、やがてスラムを抜けて雑木林が深くなってきた。もう人が住んでる小屋はなく、獣道だけが森の奥へと続いている。

　森には魔物が出るというが、平気なんだろうか……？　丸腰の但馬がおっかなびっくり進んでいくと、少し森が開けて川の畔に小さな掘っ立て小屋があるのが見えてきた。

　大きさは水車小屋の動力室を一回り大きくした程度で、さほど年季は入っていなそうだった。人が住んでいるような気配はなく、ただの物置といった感じである。

　シモンの父親は、小屋の前に立つとくるりと背後を振り返り、主にアナスタシアに向かって、どう切り出したらいいんだろうか……と迷っている感じに、胸の前で両手をわきわきと遊ばせながら、

「あ〜……これは、アナスタシアのお父さんが、死ぬ直前まで作ってたものなんだが……俺には使い道がさっぱりわからなくてな……」

　そう前置きしてから、彼は小屋の扉を開けて但馬たちを招き入れた。

　小屋の中に入ると、すぐ目の前に何やらでっかい円筒状の鉄の固まりと、大きな車輪が

あって、それらはクランクで繋がれていた。その車軸には、ここのところお馴染(なじ)みの水車の動力部分のようなものが突き出ていた。

　そして部屋の片隅(かたすみ)には、うずたかく石炭が積み上げられていて、

「生前、あいつは何かに取りつかれたかのように、この機械を作っていたんだ。発明のアイディアが枯渇(こかつ)して、いよいよ切羽詰(せっぱつ)まっていた時、昔勇者様から聞いた、この機械のことを思い出したらしい。あいつは蒸気機関と言っていたんだが……」

　彼は落ちていた石炭を手に取ると、機械の前で両手を広げて、早口に言った。

「このボイラーに火を入れると、中に入ってる水が沸騰して、ダクトを通じてあっちの動力部に蒸気が当たる。動力部に蒸気が行くと、その圧力でクランクに繋がったピストンが動いて車輪が回り、それが半回転すると動力内部の弁が切り替(か)わり、今度は逆向きにピストンを押(お)すようになる。それがまた半回転すると、元に戻って同じことを繰(く)り返す。その繰り返しだ。それが燃料が尽(つ)きるまで続く……」

　まさかとは思った。

　もしかしたらと思ってもいた。

　勇者のせいで、そこそこ発展した都市だったから、蒸気機関くらいあるんじゃないかと
……その予想は正しかったのだ。

「要するに、でかくて強力な水車みたいな機械なんだが……見ての通りのデカブツで、動き出すまでには時間がかかる。粉を挽くくらいの用途では強力すぎて、かえってそれが仇となる。それで使い道が無くってなあ……結局、ここで埃をかぶる以外に、出来ることは何もなかった。でも先生、もしかしてあんたなら、これを使いこなせるんじゃないだろうか？」

しかし、但馬はそれそのものを目の前にしても、何も言えずに黙っていることしか出来なかった。

彼の言う通り、但馬ならこの機械を使いこなせるかも知れないが……。

でも、一体、どこまでやっていいのだろうか？

その匙加減がわからない。

ワットの蒸気機関の発明によって、現実の世界では産業革命が起こった。鉱山の生産性が急激に上昇し、工場が林立して、大量生産、大量消費の時代に突入した。鉄道が大陸中に敷かれて、物資や人の大移動が始まった。かつてないほど経済活動が活発となり、人類は一足飛びの発展を遂げたのだ。

その歴史をなぞることは、ここよりずっと科学の進んだ世界からやってきた但馬にとっては簡単なことだろう。いや、簡単じゃないけど、この世界の住人に比べたらマシである。

でも、それってやっちゃっていいことなんだろうか？
なにしろ、この世界にはろくな紙すら無かったのだ。情報記録媒体を羊皮紙なんかに頼っていたのだ。もちろん電信などの情報伝達手段もないから、科学技術のレベルも相当低いはずだ。見たところ、大学のような教育機関もないし、貴族のサロンみたいな場所もなさそうだ。軍人の装備を見た限り武器も貧弱で、せいぜい中世レベルといったところだろう。

確かに一部、分不相応に発達している技術もあったが、それは継ぎ接ぎだらけの無理矢理な技術であるから、その先へ発展するような気配がまるでなかった。実際、勇者から聞きかじったアナスタシアの父親が、こうして蒸気機関を開発してしまったわけだが……彼にはその使い道が分からなかったのだ。

結局、無理矢理な発展を遂げても、指導者がいなくなればこんなものなのだ。

そんな中、但馬がしゃしゃり出てきて、あれやこれやってしまってもいいのだろうか？
別に偉そうだなんだと言いたいわけじゃない。未来からやってきたわけじゃないから、タイムパラドックスも気にしないでいいだろう。が、しかし……。

但馬はこの世界で暮らしていきたいわけじゃない。
元の世界に帰りたいのだ。

なのに下手に手を出して、投げっぱなしで元の世界に帰ってしまったら、恐らくこの世界は相当歪むだろう。歪んで取り返しの付かないことになるんじゃないか？

大概、人類の発展は戦争とセットであることが多い。争いの火種だけ作って、はいサヨナラってわけにもいくまい。だから、ここは分からないと言って誤魔化した方が良いのだろうが……。

「お父さんが……これを？」

アナスタシアが一歩踏み出て、今は火の入ってない鉄の固まりに手を触れた。

多分、彼女の父親は、これの開発費で散財した挙句に自殺したのだろう。

なのに、その使い道が分からないなんて彼女には言えず、シモンの父親は今までひた隠しにしてきたのだろう。

「借金取りに知られたら、スクラップにされて売り飛ばされてもおかしくなかった。少しでも君の助けになるなら、それもいいかと思いもしたが……だが、彼が最後に残したものを、ただ使い道が分からないからと言って、ゴミのように捨ててしまうのは抵抗があったんだ。だから、誰にも伝えずにこっそりと、ここでメンテナンスをしていた。いつか、誰かの役に立つかも知れないと思ってな……アナスタシア。君にすら言えなかったことを許してくれ」

そう言うなり、彼は今までよほど葛藤があったのだろうか、膝から頽れるように地面に手をつくと、ガックリと頭を垂れた。アナスタシアはそれを見て一瞬だけなんとも言えない表情を見せたが、すぐにいつもの眉毛だけが困った表情に戻ると、首を振ってまた機械の方へ向き直った。

彼女の触れる手のひらが、慈しむように機械を撫でる。

「ええと……使い道が無いというわけもないんですが……役に立てようにも、すぐにどうこう出来るってものでもなく……まあ、何か出来るかも知れないし。何か考えてはみますけど……」

但馬は、そんなアナスタシアの横顔を見ながら、しどろもどろに、これを使って何かをやってみると承諾した。

彼女が何を考えているのかは、正直なところ分からなかったが、流石にこのまま何もせずに放っておくのは、可哀想だと思った。

自分には何か出来るはずなのだから……。

本当はさっさと元の世界に帰りたいのだが……仕方がない。

「シモンも手伝ってくれるよな？」

「あたぼうよ！　なんでも言ってくれ。なんでも協力するからさ」

渋い表情で相棒を巻き込もうとすると、その相棒の方は本当にいい笑顔で安請け合いしてくれた。

但馬はため息を隠しながら、本当に役に立ってくれよと切に願った。こうなったらもうシモンに相当頑張ってもらうより他ないだろう。そうでないと勇者の足跡を辿るとか、元の世界に戻る方法を探すとか、自由に行動することが出来ないだろうから。

＊＊＊

その後、小屋から出た但馬たちは、また元の水車小屋へと戻ってきた。せっかく手に入れた蒸気機関で発電を行わないのか？　と言えば、実際問題、試運転を相当行わなければ爆発が怖いし、たとえそれをクリアしたところで、現状の発電量くらいで蒸気機関を使うのは、大げさ過ぎるだろう。

その旨を伝えると、シモンの父親は少し残念がったが、すぐに気を取り直して自分の店へと戻っていった。なんというか、生まれ変わったかのような清々しさだった。

そんなわけで、ひとまず蒸気機関のことは忘れて、また水車小屋で塩水の電気分解の続きをすることにした。スピードが遅いといっても、今はまだそんな大量に作るわけじゃないからこれで十分だ。水素や塩素ガスが垂れ流しで、はっきり言って危険だったが、これも致し方ないことだろう。臭いのせいでジュリアに追い出されかけたが、懇願して何とか許可も貰った。見た目は怖いが、意外と気の優しい人である。さすが森の聖人ゴリラ。

　そんなこんなで約三日間、せっせと電気分解を行って、十分な量の水酸化ナトリウム溶液を確保した。これに砕木パルプを浸して放っておけば、そのうち黒液が下に溜まるので、上澄みの部分だけを掬えば見事リグニンと分離したパルプが手に入るはずである。因みに、こうして化学処理したものをクラフトパルプと呼ぶのだが、クラフト紙という言葉から、それで作った紙質がどんなものか想像がつくだろう。

　さて、結果は良好で試作段階としてはかなりの出来だった。ここまで上質な物が出来たのなら、そろそろ国王に報告に行ってもいいだろう。

　それをシモンから聞き及んだのだろうか、翌日、水車小屋にふらりとブリジットがやってきた。彼女は恐る恐る中まで入ってくると、

「本当に、もう出来ちゃったんですか？」

「だから、最初からそんなに時間は必要ないって言っただろ。ほら、これ」

「これ……確かに紙ですね……それもかなり上等な。どうやって作ったんです？」

　彼女は感嘆の息を吐いている。

「それを王様に報告したいんだけどね」

但馬が言うと、彼女は、え？　もう？　と信じられないといった顔をしてみせたが、実際に自分の手の中に紙があるので納得するしかなく、

「わ、わかりました。いつなら都合がいいか聞いてきま……あ、いえ、近衛隊の人に頼んでおきます！」

別に今さら取り繕わないでいいんだけど……と思いつつ、

「頼んだぜ。ああ、あと謁見にはこいつも連れてくけど、構わないだろ？」

「……え⁉」

但馬がそう言って、隣で他人事のようにやりとりを聞いていたシモンの頭をひっぱたくと、想像もしていなかった彼はぎょっとして悲鳴を上げた。

「はあ⁉　無理無理無理無理！　何言ってんだよ！　俺、先生と違ってそんな場所に呼ばれるような人間じゃないぜ⁉」

「俺だってそうだよ。つーか、諦めろ。なんでもするって言っただろ」

「確かに言ったけど……俺はただの移民なんだぜ？　王様に謁見なんて、とても出来るような身分じゃないよ」

「そんなこと言ったら、俺はただの異邦人だし、なんなら詐欺師と呼ばれているんだぞ。

出自で人を差別するような王様じゃないさ」

ブリジットがまるで自分のことのように頷いている。本当に隠すつもりはあるのかと思いつつ、但馬は追い打ちをかけるように続けた。

「そんで、おまえには俺の代わりに、王様の前でプレゼンをやってもらう」

「ええ⁉」

「やってもらわなきゃ困るんだよ」

但馬は開発は行ったが、工場の経営や商品の販売(はんばい)はシモンにやらせるつもりだった。だが、それを国王や大臣に言っても渋られる可能性がある。そうならないためにも、彼には但馬のパートナーとして、今のうちから箔(はく)をつけてもらわねば困るのだ。

「金を稼(かせ)ぎたいんなら、ここが正念場だぜ。ちゃんと手助けはしてやるから、覚悟(かくご)を決めろよ」

「くっ……仕方ないか」

但馬がそういう事情も交えつつ説明すると、真っ青になりながらも、最終的にシモンは承諾した。

＊＊＊

段取りが決まると、二人はすぐにプレゼンの資料作りとリハーサルを始めた。元々、交渉（こうしょう）事が得意なシモンは、人前で何かするのには慣れているようで、一度腹を括（くく）れば但馬なんかより、よっぽど頼りになった。

そして結局、紙の開発を依頼（いらい）されてから十日後、彼は助手のシモンを連れて、ローデポリスのランドマーク、インペリアルタワーの謁見室を再び訪問した。

十五階の建物を汗（あせ）をかきつつようやく上り終えると、息を整えて、近衛兵（このえへい）に先導されながら謁見の間へと足を踏み入れる。中には前回同様、国王と三人の大臣、それから秘書官と、今回は護衛に女騎士（きし）が立っていた。どうやらあのうるさい近衛兵、ウルフはリストラされたようである。ざまあみろ。

赤絨毯（じゅうたん）を進んで王の前で跪（ひざまず）く。

「面を上げよ。但馬よ、久しいと言うにはあまりに早く、驚いておるぞ。もう出来てしまったそうじゃな」

「はい。おかげさまで。ここの彼が手伝ってくれたお陰（かげ）で、作業が順調に進みましたもので」

「ほう」

「今日は彼から発表をさせていただきます。それじゃ、用意しておいた資料を持ってきてもらえますか？」

但馬が側仕え（そばづか）の近衛兵に頼むと、彼女は別の隊員と一緒（いっしょ）に黒板と資料を持って戻ってきた。

ガチガチに緊張しているシモンが資料の小冊子を配り、その間に但馬が黒板いっぱいにデカデカと資料の紙を貼り付けると、おおっ！　っと、部屋中から驚きの声が上がった。

彼らはそれほど大きな紙を見たことがなかったのだ。

インパクトは大事である。しょっぱなに現物を見せられた大臣たちは、初めはそんなに期待してない感じだったが、すぐに真剣（しんけん）な表情になって、手元の資料と黒板とを交互（こうご）に見始めた。

シモンのプレゼンは滞り（とどこお）無く進んだ。

多分、期待以上のものが出てきたせいだろう。誰もが真剣な眼差し（まなざ）で、彼らからしてみれば下々の者でしかないシモンの声に、熱心に耳を傾け（かたむ）ていた。サンプルとして持ってきた様々な種類の紙を渡し（わた）、ついでだから筆記具として使っていた鉛筆を見せたら、それもかなり好評だった。彼らは受け取った紙に鉛筆で何やらを書いては、何度も何度も唸っていた。

これだけ評判がいいなら、消しゴムも作ってくればよかったと、少し後悔しつつ、いよいよ紙の製法の説明に入る。

植物に含まれるセルロースという繊維の話から、アルカリ溶液を用いて煮て叩くという叩解法、乾いたパルプを実際に見せて、それを水に入れて掬い上げる実演もしてみせた。

彼らはその一つ一つに真剣に耳を傾けていたが、やがて材料の説明に入り、サトウキビの搾りかす、とうもろこしの皮、ボロ布、低木と続いて……そして丸太から砕木パルプを削りだす段階に進むと、急にガッカリしたかのように興味を失ってしまった。

なんだか嫌な感じがする……。

「……というわけで、丸太から削りだした繊維はそのままでは使えず、特殊な水溶液でリグニンという物質を除去するのですが……」

「いや、それはもう良い。それより、質問をしてもいいだろうか？」

「え？　……あ、はい。どうぞ」

どうしたんだろうと戸惑っていると、シモンのプレゼンを遮るように、大臣の一人から質問が飛んできた。

「材料としては結局、サトウキビの搾りかすや低木で構わないのだろうか」

「はい。植物であるなら、何でも可能のはずです」

「では、特に木材にこだわる必要はないんだな？」

「ええ、そうですけど……」

シモンが但馬の顔をちらりと見てから、そう断言すると、大臣たちは全員ほっとした表情を浮(う)かべた。

「あの、こちらからも質問してよろしいですかね」

流石に、この反応は何かおかしい……しっくりこない但馬は、自分も挙手して周囲に尋(たず)ねた。

「申してみよ」

「ありがとうございます。ええと……先程(さきほど)から皆(みな)さん、どうも砕木パルプが気に入らないように見受けられるのですが……」

「当たり前だろう」

みなまで言うなと言わんばかりに、言葉が遮られる。いや、当たり前と言われても……但馬が戸惑っていると、その様子を見ていた国王が何かに気づいたかのように、ポツリと呟(つぶや)いた。

「なるほど……但馬よ。お主はこの国の者ではなかったな」

「あ、はい」

「ならば知らぬのも無理でない。この国は、あらゆる木材を全て輸入に頼っておる。故に大臣たちは材料の高騰を危惧しておるのじゃ」

「……は？」

何を言っているのだ？　こんな森と山だらけの国で……。

「いや、でも……ここは砂漠じゃないんですよ？　木なんて、そこらにいくらでも生えてるじゃないですか？」

素っ頓狂な声で但馬が反論すると、大臣たちは奇異なものでも見るような目つきで、眉を顰めて首を傾げた。

どうしてそんな顔で見られなきゃならないのだろうか？　助けを求めるつもりでシモンの顔を振り返ったら、そのシモンも大臣たちと同じような表情を浮かべていた。

どういうことだ……？　但馬は焦った。自分が何かまずいことをしてしまったのは分かるのだが、その理由が分からない。

パンパンパン！

すると、その時、手をたたく音が謁見の間に鳴り響いた。その音に全員が国王を振り返る。

「どれ、少し休憩にするかの。この歳では、新しいことばかりいっぺんに吹きこまれても、理解するのも一苦労じゃわい。何か甘いものを食べて休むとしよう。ジルよ、その二人を儂の私室まで案内しなさい」

「……お二方……で、よろしいのですか？」

ジルと呼ばれた女騎士が尋ねると、王はうんうんと頷いて、玉座から立ち上がり、テクテクと部屋の隅にある階段の方へと歩いていった。

「国王！」

取り残される格好になった大臣たちが声を上げるが、

「一時休憩じゃ、皆のものも席を外すが良かろう」

王は大臣の声を意に介さず階段を上っていってしまった。困ったような表情をした大臣たちの視線が突き刺さる。

但馬は女騎士に促されて王の後を追った。どうにもあの三大臣には、いつも睨まれているような気がする……苦笑しながらシモンの方を振り返ったら、彼の顔は真っ青を通り越して土気色をしていた。まるで死刑台へ向かう囚人のようだ。

それも無理ないことだろう。これから、一国の王のプライベートスペースに足を踏み入れようというのだ。流石にこれは刺激が強すぎたかな……と思いつつ、但馬の方はいつもの調子で階段を上った。

どうせこの世界からいなくなる自分には、関係のない話だ。

一章

12・そして一攫千金の夢は潰えた

謁見の間はビルの最上階という触れ込みだから、てっきりここがビルの一番上だと思っていたのだが、どうやらまだその上があったらしい。上階、というかロフトと呼んだほうがいいだろうか。玉座の奥には目立たぬように階段が隠してあり、その先は国王の私室に続いていた。

アーチ状の大きな窓からは、目前に迫る大海原と、この街のシンボルでもある火山島が一望できるバルコニーへ出られた。開け放った窓からは心地よい潮風が吹き付け、レースのカーテンがパタパタと揺れている。

応接セットに腰を落ち着けた国王に促されるように対面に座ると、シモンがフリーズしていたが、そのまま立っていては逆に失礼だろうと思い、無理やり座らせた。お付きの近衛兵がティーポットを運んでくると、香ばしい香りが辺りに立ち込めた。

ここは普段、リリィのような貴賓客の応接室として使われるスペースらしい。ベッドもあるから、もしかしてここに住んでるのかとも思ったが、居城はちゃんと別の場所にある

そうだ。ここはあくまで休憩スペースなのであるが、

「調子に乗りおって、十五階など建てるものだから、毎朝上ってくるのがこの歳には応えてのう……」

登頂……もとい、登庁してきても暫くの間はここで休まなければ仕事にならないらしい。なんなら帰るのが億劫な日は、こっそり泊まったりもしているそうだ。

謁見の間を下階の方に作ればいいと思うのだが、そうすると国王の頭上を誰かが通過することになってしまうので、絶対に駄目なのだとか。だったらもう、居城で謁見したらどうかと言ったら、それだと今度はビルを作った責任者の首が飛ぶらしい。物理的に。

それじゃ可哀想なので、こうして毎朝階段の上り下りを余儀なくされているそうである。なんとも間抜けな話であるが、どうやら、このビルの設計がおかしいと思っていたのは但馬だけじゃなかったようでホッとする。

それにしても、この王様、若く見えるが七十九歳とかじゃなかったっけ?

「せめてエレベータをつけようと思わなかったんですかね」

「エレベータとはなんじゃ」

「こう……箱の中に人を乗せて、それを上下させる……」

「よく分からぬが、お主なら作れるのか?」

「いや、無理ですって」

下手なことを口走ると、本当に作らされるかも知れない。もう黙(だま)っておこう。

さて、プレゼンが中断されたのは、どうやら木材の確保について、但馬が無知を晒(さら)したのが理由のようであるが……未(いま)だにさっぱり意味がわからないので、早く教えてほしかった。

実際、ぱっと見、山と森しかないようなこの国が、まさか木材を輸入に頼っているなんて、誰が想像つくだろうか。

「但馬よ。この大陸の歴史について、お主(ぬし)はどのくらい知っておるか」

但馬は黙って首を振った。はっきり言って何も知らない。というか、そういうのをこれから調べていくつもりだったのだが……もしかしてこれも常識だったらどうしようとドキドキしていると、国王はさもありなんといった顔をしてから、

「歴史なんぞは、よほどの好事家(こうずか)か王族でもなければ、知ることもないじゃろう。お主は南の島から来たと言うとったしのう……ならば仕方あるまい」

そうなのかよ。だったら試(ため)すような聞き方しないでくれと、内心引(ひ)き攣(つ)りつつ先を促す。

そうして王が語りだしたこの世界の歴史は、思ったよりも込み入っていて、とても奇妙(きみょう)なものだった。

「今から千年以上も前の話じゃ。ここロディーナ大陸には、人類は一人も生息していなかった。大昔の人類は、北方大陸にかろうじて少数が生き延びていただけの、いわゆる絶滅危惧種だったのじゃ……」

その頃のロディーナ大陸は森林に覆われ、全域にわたってエルフが暮らしている緑の大陸だったらしい。他方、北のセレスティアは雪に覆われた不毛の大地で、猛吹雪と猛獣が跋扈する、人が暮らしていくには過酷な大陸だった。

そんな中、一握りの人類が洞穴のような住処で身を寄せあって暮らしていた。

彼らはいくらかの穀物と、魚や海獣を獲って、エスキモーのような慎ましい生活をしていた。ところが、あるとき、そんな彼らの生活を脅かす大事件が起きたのだ。

海が凍り始めたのである。

海が氷に覆われてしまっては漁業はままならず、流氷を避けて南下しようにも、南のロディーナ大陸はエルフの土地である。人類はエルフの魔法には太刀打ち出来ず、ロディーナ大陸に移り住むことは敵わない。だから隠れるように北方大陸で暮らしていたのだ。進退窮まった彼らは、いよいよ絶望の淵に身を投げ捨てかけた。

ところがそんな時、強力なリーダーシップを発揮する指導者が現れた。

リリィと呼ばれるその指導者は、ある時、同胞に向かってこう言い放った。

この雪も海も世界が凍ってしまいそうなのも、全てはエルフの仕業である。エルフが魔法を使うのが原因なのだ。エルフを駆逐しなければ、このままでは人類はおろか、世界そのものが滅んでしまうだろうと。

それは仲間を奮い立たせるための詭弁に過ぎなかったろう。だが、とにもかくにも目的を一つにした人類は、彼女の口車に乗ってエルフに立ち向かうことにした。その頃には二つの大陸は氷で繋がってしまっていて、もはや後には退けなかったのだ。

そしてロディーナ大陸に侵攻を開始した人類は、帰る土地がないという背水の陣も作用して、まさに疲れを知らぬ強力無比な軍隊と化した。

更には、聖女リリィの魔法はエルフをも凌駕し、まるでおとぎ話の神のように森を焼き払い、エルフを駆逐し、亜人を殺し、そして遂にロディーナ大陸北部エトルリアの地から、エルフを追い出すことに成功したのである。

「……人類の方から、エルフに戦争を仕掛けたのですか？」

「そうじゃ」

この世界に来てからエルフの名前が出るたびに、誰もが恐れている感じがしたから、てっきり人類のほうが、かつてエルフにしてやられた苦い経験があるのだとばかり思っていた。ところが意外にも、それは逆のようである。

「今でもエルフの魔法に太刀打ち出来るのは、聖遺物を持つ魔法使いだけなのじゃ。それも、せいぜい勝負になるといった程度で、一対一となれば勝敗は五分にも満たないじゃろう。今もって圧倒的にこちらが不利な状況は変わらぬ。

だというのに、かつての聖女リリィは、まるで虫けらを殺すかのようにエルフを駆逐したという。その伝説は彼女の魔法がいかに凄まじかったかを物語っておる」

彼女の魔法は天を焦がすほどの火炎で森を一瞬でなぎ払い、大量の隕石を招来しては大地に穴を穿った。彼女が祈れば雨雲が空を埋め尽くし洪水が引き起こされ、彼女が息を吐けば突風となって木々をなぎ倒した。

しかし、そんな彼女はエトルリアの地をエルフから奪うと、忽然と歴史から姿を消してしまった。エルフを追いかけて入ったガッリアの地で果てたとも、力を失いひっそりと死んでいったとも、あるいは、天に召されて神になったとも、その他諸々の伝承が残されているが、その行く末は誰にもわからない。

因みに、

「お主らも会ったことがあるエトルリア皇女殿下は、この聖女に因んで名付けられたのじゃ」

聖女リリィの活躍によって、エトルリアの地を得た人類は、そこに新たな国家を作った。

それが千年以上の長きに渡る歴史を誇(ほこ)る、エトルリア皇国だそうである。

ロディーナ大陸は東西を横断する山脈によって南北が分断されており、それぞれ北部はエトルリア大陸、南部はガッリア大陸と呼ばれている。はっきりとした大きさはよく分かっていないが、概算(がいさん)でガッリアはエトルリアの約四倍の面積を持ち、その殆(ほとん)どは森林に覆われているらしい。

形としては、丁度きのこをひっくり返したような感じだろうか。きのこの柄(え)の部分がエトルリア、傘(かさ)の部分がガッリアにあたる。エトルリアはガッリアから突き出している半島というわけである。

またエトルリア大陸の東西には、それぞれティレニア海と、イオニア海という二つの内海が存在し、この二つの内海と大陸北部が、現在の人類の生活圏(せいかつけん)であるそうだ。

そしてここリディアは、エトルリアの属国であるが、実はガッリア大陸に位置する国家で、本国エトルリアとはイオニア海を挟(はさ)んだ対岸にあるらしい。

さて、こうしてエルフから土地を奪った人類であったが、それをエルフたちが恨(うら)まないはずもなく、千年以上経(た)った今でも、彼らは人類を見るや問答無用で攻撃(こうげき)してくるそうである。

しかし、聖女リリィを欠いた今の人類にはエルフに太刀打ち出来る力もなく、もしもエ

ルフが集団で襲ってきたら為す術もないだろう。だから人類は、出来るだけガッリア大陸に近づかないようにしているのであるが、

「しかし、あやつらにも弱点があっての……」

エルフが魔法を使うには、大木に宿る魔素が必要であり、平原はその魔素が薄いせいで、エルフは森から出ることが出来ないのだ。森から出ると、彼らは魔法を使えなくなるどころか、息をすることさえ困難になるといわれている。

エルフのせいで人間は森に近づくことが出来ないが、エルフはエルフで、人間の住む平原へと出てくることが出来ないのだ。

「思い返してみよ。お主はこのローデポリスの街中で、自分の背丈よりも大きな木を見かけたことがあるじゃろうか？」

言われてみると確かに、街中で大木を見た記憶がない。街の周辺の穀倉地帯にも一本も生えていなかったし、川沿いのスラムまでいかなければお目にかかれなかった気がする。

狭いリディアの国土は、日本の鎌倉みたいに海岸からすぐ山に続いている。しかしこれだけ平地が少ないにもかかわらず、山で暮らしている民はいない。それは不便だからという理由ではなく、エルフがいるからなのだ。森があればエルフが来てしまうから、林業というものがこの国では成立しないのだ。

この国の住人が、何をするにも石炭を使い、街の建物が鉄筋コンクリート製なのも、ちゃんと理由があったわけだ。

リディアは土地を開発するにあたって、まず森に住むエルフをどうにかしなければならないという問題を抱えているのだ。建国当時は大勢で一斉に森へ火を放って、問答無用で焼き払っていたそうであるが、ある時から亜人がエルフに密告するようになって、それも出来なくなってしまった。

エルフと亜人は互恵関係にあり、強力な魔法能力を持つエルフが魔獣から亜人を守り、亜人はエルフに人間の接近を知らせる。構図としては、人間は森を切り開いて土地を広げたいが、エルフと亜人が森を守っているから近づけないという感じだろうか。

これに対抗するには、聖遺物を持つ魔法使いを集めて戦うしかないが、しかし、建国したばかりのリディアに手を貸してくれる魔法使いなどいるはずもなく、国王には取れる手立てが殆どなかった。

ところがそんな時、現れたのが勇者だった。彼は国造りを手伝う代わりに、人間と亜人が仲良く暮らせる国家を作ってくれと、王を頼ってきたのだ。

＊＊＊

リディア王ハンスは、エトルリア貴族の庶子として生まれたが、やがて子宝に恵まれなかった父の後継者と目されるようになると、正室から疎まれるようになっていった。すると経済力を妻の実家に頼っていた父は、後継者争いを避けるため養子を取って、そっちに跡目を継がせて、ハンスを遠ざけることにした。

結果、表向きは直系として家督を継いだはずのハンスであったが、彼は本国の領地を相続することが出来ずに、エトルリアから遠く離れた不毛の地、リディアの領主としてこの地を治めることになってしまった。まだ十八の時だったという。

その頃のリディアには街はなく、人もなく、国どころか村とすら呼べるようなものでもなかった。リディアの地がエトルリア大陸ではなく、ガッリア大陸に位置していることからも分かる通り、本国も正式にはこの地を国土とは見做していなかったようである。

そもそも、この地に人が住み着いたのも、殆ど偶然でしかなかったのだ。

エルフはガッリア大陸に満遍なく生息しているが、それは森の中であって、木があまり生えていない海岸付近は比較的安全だった。そのため、イオニア海の漁師たちはガッリア大陸にも足を延ばして、そこで得られる海産物で糧を得ていた。

リディアにはロードスという火山島があって、噴煙のせいでほとんど木が育たず、その周辺にはエルフが存在しなかった。やがて漁師たちはロードス島に寄港地を作り、そこに集落が出来ると、対岸からやってくる漁師と集落の漁師とで縄張り争いが生じ、調停のためにそこを治める領主が必要となった。

そこにハンスが送られたわけである。体のいい厄介払いだった。

リディアに渡ってきた当初、まだ年若いハンスには力がなく、やる気もなく、またリディアの民も彼を領主として認めるつもりもなく……彼の私兵と地元民がいざこざを続けるだけの不毛な日々が続いていた。

ろくな産業もないこの地では税を取り立てることもままならず、兵士への給与の不払いもあって、撤退は時間の問題と思われた。しかし尻尾を巻いて帰ろうものなら、家督を養子に奪われてしまう。彼は進退窮まっていた。

ところが、そんな彼の前に、ある時おかしな男が現れた。南の島から渡ってきたという男は、もしもこの地に人間と亜人が仲良く暮らせる国を作るというのなら、ハンスの統治に協力しようと申し出てきたのだ。

言うまでもなく、この男こそがかつての勇者タジマ・ハルである。

亜人は一括りに亜人と呼ばれているが、実際には多数の種族が存在している。例えば頭に獣耳をつけた猫人や犬人、全身が屈強な筋肉で覆われたゴリラみたいな猿人、鳥やら爬虫類のような種族もいて、そのすべてを亜人と呼んでいる。

　種族が違うせいだろうか、基本的に彼らは孤立しており、コロニーと呼ばれる小集団を形成することはあっても、それはせいぜい十人前後で、殆どが一匹狼であった。

　また子育ての仕方も独特で、彼らは子供が一人で獲物を取れるようになると、育児を放棄してすぐに独り立ちさせる。ところが、その時点で大人の援助を失った子供は、大抵野垂れ死ぬのが落ちであった。

　なんでそんなことをするのかはよく分かっていないのだが、多分、彼らは野生動物と同じで、農耕ではなく狩猟に頼っていたから、自分たちの食料を取りつくしてしまわないように、本能的に間引いていたのかも知れない。

　ともあれ、そういった経緯でリディアの海岸には、時折死にかけた亜人の子供がやってきた。それを可哀想に思って施しを与える者もいたが、やがてそれを目当てに奴隷商人がやってくるようになり、気がつけばそこは本国の奴隷海岸へと変貌していた。

　亜人奴隷は従順で、身体的には人間より優れていたため重宝されたが、彼らが結束して反乱を起こせば鎮圧するのは困難であるから、エトルリアでは徹底して差別されていた。その差別が奴隷商人の仕事を肯定したため、いつしか奴隷市場はイオニア海になくてはならない産業とまで目されるようになっていった。

ハンスが勇者と出会ったのは、そんな奴隷商人が彼と揉めて、コテンパンにのされて泣きついてきたのが切っ掛けだった。

ハンスは奴隷商人のことを不快に思っていたが、この不毛の地でまともに税を支払っているのもまた彼らだけだったので、仕方なく助けてやることにした。

ところが、そうして渋々現場に駆けつけてみたところ、そこで奇妙な男が亜人と共に、小さな集落を作って暮らしていたのである。

亜人の集落など見たこともなかったハンスは目を疑ったが、それ以上に驚いたのは、タジマが聖遺物無しで魔法を使ったことだった。しかも彼の魔法は強烈で、剣の腕で鳴らしたハンスはおろか、一軍さえも退け、その威力はエルフをも凌駕したのである。

そんな彼が亜人の保護を見返りに、国造りに手を貸すと言うのだ。

ハンスは少々迷ったが……いつまでも腐っているわけにもいかない。このまま奴隷商人の使いっ走りで終わるくらいなら、亜人と共に歩んだ方が百倍マシだろうと決心すると、奴隷商人とは手を切って、彼の提案を受け入れることにした。

勇者の魔力は凄まじかった。

彼の一薙ぎで森は焼き払われ、彼の召喚した流星は山を砕いた。まるで伝説の聖女のような快進撃で、瞬く間にエルフは炭の人形にされ、敵対する亜人は蹴散らされた。そして彼は数多のエルフと対峙しても、たった一人で渡り合い、ついに現在のリディア周辺の森からエルフを全部追い払ってしまったのである。

更に彼は、リディアに様々な知識をもたらした。

国を維持するためには軍隊が必要だ。軍隊を維持するためには食料が必要だ。そこで彼は見たことがないような方法で農耕を開始し、あまり馴染みのなかったトウモロコシを栽培したり、ワタを作って本国に輸出しはじめた。

経済的に潤ってくると移民がやってきて、人が増えれば家が不足する。本来なら建材を輸入に頼らざるを得なかったのだが、勇者はすぐさまセメントを開発し、更に石炭を燃料に鉄を精錬して建材を確保し、ついでにその技術で様々な武器と塩を作った。

無論、その間も開墾を続けており、やがてリディアは十万の人口を抱えてもびくともしない食料自給力を誇るに至った。そして彼は最後に軍制改革を行うと、移民をうまく取り込んで、徴兵を義務化したのである。

こうして、たった十年ほどで、他国と比肩する国家を築き上げた勇者の名前は大陸全土に轟いた。未だ果てることなく成長を続けるリディアの地には、海の向こうから様々な叡智が集結し、彼らと勇者タジマがあれば、いずれリディアはガッリア大陸さえも制覇する大帝国になることも夢ではないだろうとさえ言われるようになった。

しかし、順風満帆と思われていた国家にも、間もなく転機が訪れる。

勇者に付き従っていた亜人たちが裏切ったのだ。

亜人たちはリディアから飛び出し、南西の地メディアに砦を築くと、リディア人と激しく敵対し始めた。理由は簡単で、リディアが著しい成長を続けるその陰で、実際には奴隷商人が横行し、本国に亜人奴隷を売りさばいていたことが発覚したのだ。

これには勇者も激怒し、奴隷商人を皆殺しにすると、すぐさま奴隷を解放しろと、海の向こうの本国に迫った。

ところが、亜人奴隷の労働力を当てにしていた本国はそれを拒否し、代わりに軍隊を送ってきたのである……。

＊＊＊

「そりゃ、最悪の選択でしたね……」

「最悪じゃった……エトルリア皇国は、勇者殿の力をまるでわかっていなかったのじゃ。

発展しているとはいえ、リディアの兵力はせいぜい一万。対して本国はその数十倍の動員数を誇り、貴族と魔法使いの数も桁が違った。だから負けるはずがないと思いこんでいたのじゃろう。

　結果は言わずとも分かるであろう。遠征軍（えんせいぐん）はリディアに接岸することすら敵わず船ごと沈（しず）められ、勇者殿はもうこの国に戻（もど）ってくることはないと言い残して、奴隷解放のためにエトルリア大陸へと旅立ったのじゃ……」

　その後、勇者はエトルリアの各地を転戦し、そこで圧政に苦しむ民や亜人奴隷の解放を行っていった。そんな彼はいつしか英雄（えいゆう）、勇者と呼び慕（した）われるようになり……最終的に彼を慕う全ての人々を従えて、人類発祥（はっしょう）の地、北方大陸（セレスティア）へと渡っていったそうである。

　その華々（はなばな）しい戦果は、周辺諸国には痛快なものとして語られているが、本国で彼は未だに悪魔（あくま）の異名で呼ばれているそうである。

「そういうわけで、但馬よ。儂らは国内で木材を調達することが出来ぬのじゃ。植林をしようものならエルフがやってくるじゃろうし、森を焼こうにも亜人と敵対している今では、確実に先手を取られる。そのせいでこの国は、勇者殿の去った五十年前からまったく拡大が出来ず、ずっと停滞（ていたい）し続けているのじゃよ」

「エルフとは話がつかないんですか」

「エルフと？　無理じゃな。やつらは聞く耳を持たん。そもそも、言葉を理解しているかさえも分からぬ。野生動物みたいなものじゃからの」

え？　そうなの？　なんだか自分の抱いていたエルフと大分イメージが違うのだが……。

それはともかく、国王からこうしてこの世界の歴史を聞けたのは、思わぬ収穫であった。なにしろこの通り、ろくな紙すらない世界だから、ちゃんとした記録が残ってるとも思えなかったからだ。

まとめると、この世界は約千年前に氷河期が訪れ、北の大陸が凍結し、そこで暮らしていた人類が生き延びるためにエトルリアに侵攻してきたようだ。そのせいで追い出されたエルフは今でも恨みに思っていて、人間を見ると問答無用で攻撃してくる。亜人はエルフの庇護下にあり、人間が森を焼こうとするのを見張っている。

エルフは森の中でしか生息出来ないので、森にさえ近づかなければ襲われない。亜人はどこにでも出てこられるので警戒が必要だ。リディアの南西にはメディアという土地があって、そこに亜人が住み着いているが、どうやらこれがリディアの敵の正体のようだ。

このメディアという国の科学力はどんなものだろうか。彼らもかつては勇者に付き従っていた者たちだから、それなりに発展しているのだろうか。機会があれば、いずれ訪ねてみたいものである。

その後、勇者は奴隷を解放するためにエトルリアに渡ったようだ。もしかしたら自分と同じ現代人で、元の世界に戻るために北へ向かったのかと思っていたが、どうやら違ったらしい。彼は思ったよりもこの世界に順応していて、帰るよりも定住することを望んでいた節がある。同姓同名だから気になっていたが、やはり勇者と但馬は別人だろう。

国王による昔話を聞き終えた但馬たちは、謁見の間へ戻って、またプレゼンの続きを行った。

とはいえ、木材の調達が無理だとわかると、もう伝えることは殆どなかった。せいぜい、材料は植物であるなら何でもいけますよと言うくらいだ。

話を聞き終えた大臣たちは正式に高木の使用を禁止する見返りに、但馬が作る紙を省庁で買い取ることを提案してくれた。砕木パルプの製法が木材の調達が容易な他国に渡ると、国の損失だと考えたのであろう。

こうして但馬たちは国の御用商人となったわけだが……引き換えに、大量生産の道は途絶えてしまったようである。

本当ならこのあと工場を建てて、シモンに任せようと思っていたのであるが、やる前から封じられてしまった格好である。御用商人になれたのだから、それだけでも十分な稼ぎを得ることは出来るだろうが、残念ながら一攫千金とはいかなくなった。言い方は悪いが、いくら吹っ掛けたところで、和紙職人がどれくらい儲けられるだろうか？

アナスタシアをすぐに助けられると思っていた但馬は内心がっかりしていたが、シモンの手前、顔には出さずに涼(すず)しい顔をしていた。

なあに、まだ方法はあるさ……多分、きっと……果たしてそう上手(うま)くいくかどうか分からないが……。

但馬たちはプレゼンを終えると、謁見の間から出た。今回の開発ボーナスは、正式に書面を交(か)わす際にでもと言われた。まあ、いきなり金貨一千枚をぽんと手渡(てわた)されても困るし、それで構わないだろう。

それより、これからどうしようか。紙漉(かみす)きを行う人員の確保のために、このままハローワークに寄っていこうか。国以外の新たな販路(はんろ)を見つけるために、街のどこかに事務所を構えるのもいいかも知れない。その場合、事務処理を行う人材も必要だろう。

紙も、ただ羊皮紙代わりのものがあればいいわけじゃない。トイレットペーパーやティッシュペーパーのような新商品の開発もしたいし、確かセロハンは半透膜(はんとうまく)になるはずだ。そしたら水酸化ナトリウム溶液(ようえき)をもっと容易に手に入れられるだろう。新たな動力の当てもあるんだし、化学工業を興(おこ)して工場を建てれば、より早く目的に到達(とうたつ)出来るかも知れない。

いや……砕木パルプを封じられた今、そんな化学薬品を増産して何になるんだ?

「なあ、シモン?」

謁見の間からの帰り道、十五階建ての長い長い階段をだらだらと下りながら、但馬はそんなことを考えていた。

これからのことをシモンに相談しようと振り返ると……しかし、そこにシモンはおらず、彼は何故か上階の踊り場に佇んだまま、但馬のことをじっと見下ろしていた。

「なあ先生。あんた、一体何者なんだよ？」

「え？」

階段上から見下ろすシモンの瞳はいつもとは違って険しかった。謁見の間でずっと緊張していたから疲れているのかといえばそれとも違う、何かに追いつめられてるようなそんな感じに見えた。

「少し、おかしなところはあるとは思ってたけど、常識の範囲内だと思ってた。でも流石に亜人のこととか、エルフのこととか、この程度のことさえ知らないなんておかしすぎるだろ。そのくせ、俺たちには信じられないような知識があって、気づいたらまた大金持ちに返り咲いてる。親父が見せた蒸気機関だって、あんた、一目であれが何かに気づいたんだろ？　俺にはあれが何をする機械で、何の役に立つのか、未だにわかってないのに……」

どうやら、敢えてスルーしていた但馬に対する疑念が、ピークに達してしまったようだった。もちろん、但馬に悪気は無かったのであるが、ずっと何も語らないで誤魔化し続けていたのが、彼にプレッシャーを与えていたようだ。

「それに……一番わけがわからないのは、どうしてエルフでもないくせに、聖遺物なしで魔法が使えるんだ？」

どうする？　ちゃんと話そうか。但馬が一体どこから来て、どこへ帰ろうとしているかを……。

しかし、言ったところで絶対に信じられないだろうし、信じさせる自信もない。話の取っ掛かりすらないのだ。

異世界から来た？　ここよりずっと高度な文明？　もしかしたらここは、ゲームの中の世界かも知れない……？

今、こうして疑われてる中で、そんなことを言ってみろ。馬鹿にされてるとしか思えないだろう。せめて何か証拠でもなければ、とても信じられるような話ではない。

但馬が口を噤んでいると、

「……悪い。ちょっと今日は、その……疲れちゃったみたいだ」

シモンは頭を振って、わざとらしい笑みを浮かべた。

「気にしないでくれ」

但馬がそう言うと、彼は何か手持ち無沙汰のように、手を閉じたり開いたりしながら口角を無理に吊り上げた。しかし、その目はちっとも笑っていない。きっと言いたいことが山程あるのだが、何も口から出てこないといった感じだろうか。

それは但馬も同じだ。本当は、話して理解してもらえるなら、そうしたいのは山々なのだが……。

結局、二人は無言のまま階段を下りて、ビルを出て広場の前で言葉を交わさずそのまま別れた。本当なら、これからの打ち合わせやら何やらをしなくてはいけなかったのだろうが、もうそんな雰囲気ではなくなってしまっていた。

但馬は、また明日にすればいいと思っていたが……しかし、今にして思えば、嫌でも話しておくべきだったのだ。無理にでも追いかけていって、これから先、彼がどうしたいのか、その意志を確認しておくべきだった。

そうせずに別れてしまったことを、但馬はずっと後悔することになる。

一章

13・月もない静かな夜に

翌朝、頭痛と吐き気と、またやっちまったのかぁ～……という後悔の念と共に、但馬は留置所で目覚めた。

ここのところ、屋台が少なかったので難を逃れていたのだが……正月を三日も過ぎれば普通にやってきて、むしゃくしゃしていたのもあって、当たり前のように飲んで、二、三杯ひっかけたところで、これまた当たり前のように記憶が飛んで、後のことは覚えていない。まあ、留置所に居るということは、きっと何かやらかしたのだろう。

やってしまったなら仕方ない。取り敢えずＯＭＲにゲロって、ブリブリして、朝食はまだかしらと、看守がやってくるのを待ちわびていたら、

「おい、詐欺師。面会だ」

と、数日前みたく看守がブリジットを連れてやってきた。彼女がやってきた時、ちゃんとしてるのは初めてだった。ズボンを下げてみせたほうが良いだろうか？

「先生～……本当に何回やらかせば気が済むんですか？」

詰め所から出ると、呆れた素振りでブリジットが嘆いていた。それはあれだ、この世の酒を飲み尽くすまでじゃなかろうか……などと登山家理論を振りかざしたら怒られそうだったので、はいはいと黙って頭を下げておく。

「で、なんか用？　べつに君、俺の身元引受人ってわけでもないだろ」

「身元引受人なんですよ、おかげさまで。以前にも言いましたよね。先生があんまりやらかすから、監督役に任命されたって」

「ああ、そうだったたっけ？」

そんな設定もあったなあ……水車小屋に入り浸っている間、あんまりにも職場放棄してくれるものだから、すっかり忘れていた。

「でももう、お役御免だろう？　王様の依頼もこなしたし、それなりの信用は出来たと思うけども」

「それなんですけど、今日はお別れを言いに来ました。国王の覚えもよろしい方を、これ以上監視するのも失礼だろうと……いえ、監視じゃありませんよ？」

今更取り繕うなよ。とっくに知ってたっての……決して口に出さないが。

「今回の件が終わって、キリもいいですし。実は、明日から暫く街を離れるもので」

「あ、そうなの？」

「はい。それで今日はこれを渡しに来ました」

そう言うと彼女は持っていた紙を但馬に手渡してきた。紙といっても但馬が作った植物性のものではなく、羊皮紙をクルクルと巻いたものであったが。

但馬は早速、受け取ったそれを開いた。

「今回の成功報酬だそうですよ。インペリアルタワー内に銀行がありますから、そちらで受け取ってください。先生、酔っ払って無くしちゃいそうですから、このままそこで口座開設することをおすすめしますよ」

「はぁ〜……これ、小切手ってやつか。初めて見たよ」

多分、地球のそれとは大分違うのだろうが。

「それにしても、この国って銀行まであったんだな」

「はい。個人商店を相手に国が融資を行ってます。この国には、商人ギルドがありませんから、その代わりに」

どうやら冒険者ギルドは無くても商人ギルドはあったらしい……。

「そんなわけで、銀行には様々な情報が集まってきます。先生もすでに国内でも有数の商人として認識されてますから、融資の相談があったら遠慮無くお訪ねください」

「あ、そうなんだ」

ダーマ神殿(しんでん)みたいなところで転職したり、それっぽいイベントは何もなかったが、気がつけば商人になっていたらしい……まあ、実際、ゲームじゃないならこんなもんなんだろう。

それに商人という立場は悪くないかも知れない。立場があれば金を稼ぎやすいし、各地の商人たちから情報も仕入れやすいだろう。いずれ交易をするようになれば、仕事でエトルリアや、噂(うわさ)の北方大陸に行ける日が来るかも知れない。

「先生はこれから、どうなさるおつもりですか？」

そんなことを考えていたら、ブリジットが尋(たず)ねてきた。

「どうしよっかなあ……本当は製紙工場を作る予定だったんだけど……」

まさか木材はありませんなんて言われるとは思わなかったので、これからどうしていいか思いつかなかった。

材料の確保が難しくなった現状、あまり大々的に紙漉きをやると自分の首を絞(し)めかねない。高単価を維持するために生産調整して、主に国を相手に商売してくのが無難なんだろうが……それだと手堅(てがた)いかも知れないが、アナスタシアの借金を返すまで、どれくらい時間がかかるかわからないだろう。

どうしたものかと首を捻(ひね)っていると、ブリジットが辺りをキョロキョロ警戒するように見回してから耳打ちしてきた。

「リディア王は先生に国内に留まってくれることを望んでいます。もしも無計画に国外へ出ようとしたら、すぐに追っ手がつくと思いますよ」

それは紙の製法を国外に持ち出されるのを警戒しているということだろうか？　とにかく、黙って船に乗って国から出ようとしたら、とっ捕まるというわけか。それは正直いただけないが……どっちにしろ、当てずっぽうで動き回るつもりは既になかった。

「いずれは世界を見て回りたいんだけどね。すぐにどっかに行こうってつもりはないよ。まあ、出来れば本拠地はエトルリアに構えたかったとこだけど……」

国王の話では、リディアはこの大陸どころか、人類の生存圏でも端っこに位置しているらしかった。正直言って、拠点を構えるには不向きな土地といえよう。その代わりに経済的に発展していて、人や物は集まりやすいようだから、甲乙つけがたいところだが。

それに今では、伝説の勇者をただ追いかけるだけではなく、ガッリア大陸のエルフや、亜人の国メディア、勇者がやってきたという南の島のことも気になりつつあった。だから暫くは腰を落ち着けて、この周辺を探ってみるのもいいかも知れない。

とにかく、元の世界に帰りたいという目的だけははっきりしていた。

しかし、その取っ掛かりは何もない……。

「そうですか、なら良かったです。もしも困り事がありましたら、いつでもご相談ください。普段、私は駐屯地にいますから」

但馬が国内に留まると言うと、ブリジットはホッとした表情でそう言った。もしかしたら、自分が逃げたら追っ手として来るのは彼女だったのかも知れない。但馬を説得するにはうってつけの人材だし、それに忘れちゃ困るがキチガイみたいに強いのだ、このおっぱいは……。

ごきげんようと去る彼女の背中に、但馬もごきげんようと返すと、城門をくぐって街から出た。昨日はシモンとギクシャクしてしまったが、取り敢えず今日も水車小屋に行くつもりだった。

いくら気まずくても、彼とは今後の話をつめておかねばなるまい。

会社を設立して管理職としてやっていくのか。それとも職人として出来る限り仕事を独占するか。アナスタシアの身請けについても、一度ジュリアを交えて話し合ったほうが良いだろう。

現実の話をしてしまえば、但馬ならばすぐに彼女を助けることが出来るのだ。ただ、積極的にそうする理由がない。どう頑張っても、自分はあくまで善意の第三者にしかなれない。なんせ、いつかは居なくなってしまうのだから。

そんなことを考えながらスラムまでやってくると、いつものように水車小屋の周りに娼婦たちが屯しているのが見えてきた。ジュリアの大きな体が見えたので、但馬は手を振って挨拶すると、

「ところでジュリアさん。アーニャちゃんの借金て、あとどれくらい残ってるの？」

「あの子の借金なら、残り金貨一千枚くらいよ～」

わあ、計ったような数字だなあ……。

但馬の懐に金はある。彼女を助けるに十分な金だ。だけど今この金に価値はない。

水車小屋に入り動力室へ行くと、スラムの子供たちが勝手に電気分解して苛性ソーダを作っていた。彼らは電気にご執心のようで、作った薬品で蟻とかミミズとかカエルとかを殺して大いに楽しんでいた。

子供は残酷だなあ……と若干引き気味に眺めながら、作業机で熱心に何かを書き綴っていたアナスタシアに声をかけた。

「おはよう、アーニャちゃん。何書いてるの？」

以前から彼女はよく紙を欲しがって、但馬は玉葱と交換で余った紙をあげていた。他にもプレゼン用に作った鉛筆を分けてあげたのだが、それを使って何かを書いているようだった。

他人の日記を盗み見るような真似はしたくないので、ずっと気にはなっていたがスルーしていた。しかし、今日は仕事も一段落して、シモンもいないので手持ち無沙汰だった。だからなんとなく、彼は聞いてみることにした。

「アンナじゃなくて……アナスタシア」

彼女はそう呟くと、困った顔……というか、いつも困ったような顔をしているのだが、より一層困ったように眉根を寄せると、紙を一枚こちらに寄越した。

『すると、律法学者たちやパリサイ人たちが、姦淫をしている時につかまえられた女をひっぱってきて、中に立たせた上、イエスに言った、「先生、この女は姦淫の場でつかまえられました。モーセは律法の中で、こういう女を石で打ち殺せと命じましたが、あなたはどう思いますか」彼らがそう言ったのは、イエスをためして、訴える口実を得るためであった。しかし、イエスは身をかがめて、指で地面に何か書いておられた。彼らが問い続けるので、イエスは身を起こして彼らに言われた、「あなたがたの中で罪のない者が、まずこの女に石を投げつけるがよい」』

但馬はクリスチャンではないし、聖書を読んだこともない。だが、これは知っている。聖書の有名な一節のはずだ。

「……修道院で読んだの。忘れないように書いておこうと思って……」

彼女の手元には何枚もの紙束があって、よく見ればそれにびっしりと小さい文字が書き綴られていた。

但馬は思わず息を呑んだ。もしかして、これが全部聖書の写しなのだろうか？

「書いておくって……昔読んだ本の内容を、一字一句覚えてるわけ？」

彼がそう尋ねると、彼女は当たり前のようにコクリと頷いた。その動作があまりにも滑らかだったから、まるでこっちの方がおかしなことを聞いているようにさえ思えてきたのだが……。

そんなわけないだろう。これって、かなり凄いことではないか？

但馬は思わず手を叩いて彼女を褒めちぎった。しかし、感嘆の言葉をいくら投げかけたところで、彼女の顔は困ったままだった。きっと彼女にしてみれば当たり前のことで、但馬が紙を作ったり、電気を使って薬品を作ったりする方が、よっぽど凄いと思ってるようだった。

自分はただ既存の知識を借りてきているだけなのに……。

だとしても、押し黙るしかない。

結局、その日はいつまで経ってもシモンがやってこず、彼女の書き取りをぼんやりと眺めて過ごしていた。

それは完全記憶能力なのか、それとも篤い信仰心のなせる業なのか。なんにせよ、彼女の気持ちを踏みにじった修道院の中で、その言葉はとても大切なものだったのは間違いないのだろう。

彼女の眉間に深く刻まれたその皺の中には、きっと聖書の言葉が刻まれているのだ。

やがて、夕方になって彼女が夕食の用意をする間、子供たちがあまりにも殺しすぎるから、いい加減にしろと円盤を取り上げ、代わりに折り紙を教えてやった。やはり紙飛行機が一番評判が良くて、よく飛ぶ折り方を教えてやったら、彼らは熱心にそれを真似したり改造したりし始めて、もう薬品のことなどどうでも良くなっていた。

結局、シモンが来ないまま夕餉は過ぎ行き、窓の外はすっかり暗くなって、娼館の営業時間になってしまった。

「ナースチャ！」

早速、客が来たのだろうか、ジュリアに呼ばれてアナスタシアが出ていく。こうなったらシモンはもう絶対来ないだろう。どうしようか、彼の家を訪ねようか……それとも、暫く放っておいた方が良いのだろうか……。

そんなことを考えながら、但馬もそろそろ街に戻ろうと動力室のランプを消して、廊下へ出た時だった。

「ハァハァハァハァ……アナスタシアたん、アナスタシアたん。ちゅきちゅき、アナスタシアたん。ベロ出して、ベロ……ジュバジュブブブジュバブブブ……」

豚みたいな男がアナスタシアに伸し掛かるように壁に追いやり、その唇に吸い付いている姿が見えた。男は殆ど身動きの取れない彼女の顔をベロベロと舐め上げ、興奮した素振りで下半身を彼女の下腹部に押し付けている。

「ここじゃ駄目。ちゃんと部屋までいこ?」

「ハァハァ……うん、早くいこいこ！　アナスタシアたん、ハァハァ……」

豚は非力な彼女を引きずるかのように、部屋の中へ引っ張っていった。

バタンと扉の閉まる音がする。

ギシギシと、立て付けの悪い小屋が揺れていた。

今までは聞かないように、気づかないようにと自分に言い聞かせてきた。だって、こんな防音設備もろくに整ってない小屋なんだから、耳をすませば当たり前のようにいろんな音が聞こえてくるのだ。

はぁはぁと息を荒くする声。

わざとらしい娼婦の喘ぎ声。

軋むベッドの音。

粘膜の絡みあう粘っこい音。

性を貪る獣たちの欲情が、否応なしに耳朶に叩きつけられる。

「……ぷはぁっ！」

いつのまにやら止めていた呼吸を再開すると、但馬は酸欠でガンガン痛む頭を叩きながら、わざとドスドスと足音をたてて廊下を突き進み、そして逃げるように水車小屋から飛び出した。

駆け抜ける青年のシルエットを月が浮かび上がらせる。

物凄く、胸糞の悪いものを見た。

わかっちゃいたけれど、頭の中で理解しているのと、実際に見るのとじゃ全然違った。

「なんであの子があんな目に遭わなきゃいけないんだ。彼女が何をしたってんだ」

憤りを覚えても、整理が追っつかない。あの豚はかつての自分自身だ。自分だって事情を知らず、彼女を買おうとしたではないか！

胃がキリキリと痛みだす。但馬はその得体の知れない感情を、ただ怒りに転嫁するしかなかった。

彼は街に戻ってくると屋台に駆け込み、無我夢中で酒を呷った。普段なら二杯も飲めば気分が良くなるのに、その日は何杯飲んでも一向に酔いが巡る気配がなかった。

なんだか今日はやけに辺りが薄暗い。

公園のベンチも、薄らと見える火山島の噴煙も、インペリアルタワーも、今日はやけに静かに見える。

そうか、今日はどこにも月がないんだ。

この世界に来て、こんなにも静かな夜は初めてだった。


***

「貴様あああぁぁ〜〜〜っっ！！！　神聖な場で何しているかぁっ!!」

ドカンッ！！！

っと、但馬は尾てい骨を突き抜けるような強烈な痛みを感じて、呻きながら目を覚ました。見上げると、もはやお馴染みとなったウルフとかいう近衛兵が、目を血走らせながら見下ろしていた。なんでこいつはいつも怒っているんだろう。更年期障害なのか。

しかし、そんなことを気にする余裕もないほど、今日は信じられないくらい頭がガンガンに痛んだ。目がぐるぐる回っていて、まったく焦点が合わない。絶えず吐き気が襲ってきて、胃がまるで別の生き物みたいに収縮する。

あまりの気持ち悪さに耐えきれず、その場でゲェ～っとやったら、

「きっさまあああああ！！！！」

もはや容赦なしと言わんばかりに、ものすごい勢いで何度も何度も蹴り飛ばされた。

「なっ！　なにしやがんだっ、ちきしょうめっ！！！」

これにはさすがの但馬も怒ってウルフを睨みつけたのだが……しかし、すぐにいつもとは様子が違うことに気がついて、怒りはあっという間に霧散してしまった。

睨んでいるのはウルフだけではない。３６０度どこを見回しても、その場にいるすべての人々が但馬のことを非難がましく睨んでいるのだ。しかもその数が尋常じゃない。

驚いて潜り込んでいた植え込みから這い出てくると、但馬は公園がいつもとはまるで違う雰囲気であることにようやく気づいた。

広場にはものすごい数の武器を手にした軍人が整然と並び、彼らの持つパイクの穂先がギラリと陽光を反射して、まるで光のじゅうたんみたいになっていた。その数はざっと見積もっても千人は下らない。公園を取り巻く環状交差点には騎兵が並び、その勇姿をひと目見ようと、沿道には観衆が列をなして詰めかけていた。

「なんじゃこりゃ、運動会でも始まるのか？」

もちろんそんなわけがない。

植え込みから引きずり出された但馬は、そのまま近衛兵たちに羽交い締めにされて、沿道につまみ出された。二日酔いでふらふらの状態で何事が起きたのかと、必死に考えを巡らせていると、

パラパパッパパ〜〜ッ！！　パパパパ〜〜〜ッ！！！

っと、クラリオンの鳴り響く音が聞こえてきて、二日酔いの但馬の頭を容赦なく痛めつけてきた。

ギンギンギンギンと頭が締め付けられるように痛む。涙がにじんで視界が歪む。そんな但馬の事情などお構いなしに、クラリオンの音色が変わるたびに、中央広場の兵隊たちが、右足、左足と足を踏み出し、ドンドンドンと地面を叩くのだ。

そのたびにガンガンと脳みそが揺さぶられる。但馬は死にそうになりながら、憎たらしいクラリオンの音が鳴る方を見上げた……。

「……シモン？」

すると、何故かそこには海岸で初めて出会った時と同じ革鎧を装備したシモンが、馬上から高らかにクラリオンを響かせている姿があった。

彼のラッパに合わせて、千の兵隊が動き出す。

「おいおいおい、なんじゃこりゃあ……シモン！　お〜い！　シモーン!!」

但馬が叫ぶも、同じように沿道から兵隊たちに声援を送る人々の声で、彼の声はかき消されてしまった。

そうこうしていると、インペリアルタワーの中階にあるテラスから、国王が姿を現し、手を振った。

「オオオオオオオォォォォォォォォォォォーーーーーーーー！！！」

その瞬間、まるで山津波でも起きたかのごとく巨大な地響きが沸き起こり、歓声が沿道を埋め尽くし、そして但馬の脳みそを容赦なく揺さぶった。彼はもはや頭痛を通り越して麻痺している頭を圧迫しながら、涙目で成り行きを見守るしかなかった。

「先生！　先生じゃないか」

と、その時、一人の男が近づいてきた。シモンの父親である。

「先生も、バカ息子のことを見送りに来てくれたのかい」

「見送りって……一体、これはなんの騒ぎです？」

「何って、出陣式じゃないか。これから、前線に向けて、リディア軍が進軍を開始するんだよ」

中央広場に仮設されたお立ち台に隻眼の男が立ち、何やら演説を打っている。

但馬はぽかんと口を半開きにしたまま突っ立ってそれを聞いていたが、何一つ頭に入っ

てこなかった。

「はあ？　……出陣？」

もしかして、クリスマス休戦が終わっちゃったの？？　そういえば、今はもう年が明けて結構経っていた。

パラパパッパパ〜〜ッ！！！　パパパパ〜〜〜ッ！！！

再び、クラリオンがあちこちで鳴り響く。

それを合図に軍隊は回れ右をして、先頭の方から行進曲に乗せて進軍を開始した。

但馬は慌てて叫んだ。

「シモン！　シモーーン！！！」

彼の隣に立つ父親も同じように息子の名前を叫んだ。沿道に詰めかけた人々が、それぞれ思い思いの名前を叫ぶから、但馬の声は声援の一部になって飲み込まれてしまった。

なんだこれ、なんだこれ、なんだこれ。

目の前を軍隊がマーチのリズムに乗せて通り過ぎていく。

但馬たちの前を通るとき、ちらりとシモンがこちらに目線を送ってきた。

しかし、彼は何も言わずすぐに目を前に向けると、クラリオンを高らかに鳴り響かせ去っていった。

その後ろを鼓笛隊（こてきたい）が太鼓（たいこ）やラッパをかき鳴らしながら練り歩く。

油で揚（あ）げた玉葱が好きだ。玉葱は美味（おい）しいから好きだ。
油で揚げた玉葱が好きだ。玉葱が好きだ好きだ。
進め戦友！　進め戦友！　進め！　進め！　進め！（オーパッキャマラードパッキャマラードパオパオパ）
進め戦友！　進め戦友！　進め！　進め！　進め！（オーパッキャマラードパッキャマラードパオパオパ）

彼らがかき鳴らす豪快（ごうかい）なマーチは、但馬もどこかで聞いたことがあるものだった。どうしてこんなところで地球のものが流れるんだ？　そういえば、この世界にはキリスト教もある。何故なんだ？　わけがわからない。

頭の隅（すみ）っこでそんなどうでもいいことを考えながら、但馬は行進を続ける軍隊の隊列を、ただただ呆然（ぼうぜん）と見送った。

どうして、シモンは休戦が明けることを教えてくれなかったのだろうか？　昨日、少しギクシャクしちゃったからだろうか？　いや、休戦明けの日程なんて、そんなのずっと前から決まっていたはずだ。タイムリミットがあるのなら、どうして先に言ってくれなかったのだ？

アナスタシアを助けるために、金儲けをしてるのだと言っていたじゃないか。そのために但馬にも協力してくれと言っていたじゃないか。彼女のことをほったらかして、どこへ行くつもりだ？　まだ何も決まってないんだぞ……。

但馬はシモンの突然の行動に戸惑った。しかし、一度行進を始めてしまった軍隊を止めることなど出来るはずもなく、彼はその後ろ姿をただ見送るより他なかった。

行進曲が続く。一糸乱れぬ軍靴の音が、規則正しいリズムを刻んで、遠ざかっていった。

＊＊＊

「そうか……息子は君に何も言わずに行ってしまったのか」

リディア軍の出陣式が終わると、やがて沿道の人垣も散り始めた。釈然としない気持ちのまま但馬が立ち尽くしていると、シモンの父親が彼の様子がおかしいことに気づいて尋ねてきた。

今更、隠しごとをしても何の役にも立たないだろう。但馬はシモンと二人で計画していたことを……つまり、アナスタシアを身請けしようとして、その金稼ぎのために製紙工場を建てるつもりでいたこと、でもそれがポシャってしまったこと、そして、ほんのちょっぴりギクシャクしてしまったことなどを包み隠さず話した。

　但馬はため息混じりに、彼の父親に向かって愚痴るように言った。

「なんか俺、嫌われるようなことでもしたのかな……」

　確かに但馬は不審者だ。自分の出自を伏せていて、聞かれても曖昧なことしか答えない。というか答えられない。商売のパートナーとして、その態度が気に入らなかったのかも知れないが、なら直接言えばいいではないか。シモンは、それが言えないなんてキャラでもなかったはずだ。

　但馬がシモンの行動が理解できずに困惑していると、彼の父親が言った。

「いいや、あいつはいつも、君のことを手放しで褒めちぎっていたよ。そう、この間の休戦で家に帰ってきたときも、あいつがリリィ殿下にお会いしたとか言うから、俺も家内もそのことを聞きたがったんだが、そんなことよりももっと面白い奴に会ったんだって、聞いてもいない君のことばかり話していた……まあ、正直、あまりにも胡散臭い話だったから、話半分で聞いてたんだが……」

　そう言うと、彼は少し躊躇いながらも、

「君は、魔法使いだそうだね……？」

「……ええ、まあ」

「うん……初めて聞いた時は、あいつが話を盛ってるんだと思った。だが、今なら信じられる気がするよ。なるほどなあ……」

シモンの父親は何かに納得するかのように、二度、三度と頷いた。そして少し懐かしそうな顔をしながら、

「あいつは、君のような特別な人が、自分の相手をしてくれることが、初めは単純に嬉しかったんだよ。でも付き合っていくうちに、それが段々プレッシャーになっていったんだ。君と倅は年齢もそう変わらないのに、君は魔法使いで、大金持ちで、そして誰も知らないような不思議な知識を沢山持っている。ところが、自分の方はというと、これといって何も持っていないんだ」

「いや、そんなことないでしょう。今回の件なんて、はっきり言ってあいつが機械を工作してくれなければ、何も出来ませんでしたよ。俺はたまたまやり方を知ってたってだけで……」

父親は苦笑交じりに、

「そのたまたま知ってたことが破格なんだと思うが……まあ、そうだな。だからお互い様なんだよ。人は自分の出来ることしか出来ない。そして、得てして自分が出来ることは、つまらなく感じてしまうものなんだ。君は君で、自分の価値が信じられないように、あい

つはあいつで差をつけられたと思って焦ったんだろう。だから、自分にしか出来ないことを見せたくなったんじゃないだろうか。義務を果たすことによって……」

「義務？」

「ああ。先生、もしも君が、君の言うその工場を作ったら、息子をどうするつもりだった？　お飾りとまでは言わないが、きっと重要なポストを約束しただろう。そして、今は兵役中の身にあるあいつを、特権を使って兵役免除にしたはずだ」

「それはまあ……じゃないと、アーニャちゃんの借金返せませんからね」

「でもそれじゃ、義務をほったらかして、ただ施しを受けているだけみたいじゃないか」

確かに、それはそうかも知れないが……。

「それを受け入れてしまったら、もう君の仕事上のパートナーではなくなる。ただの腰ぎんちゃくか何かだ。倅はそうなることを嫌ったんだろう。きっと最後の抵抗みたいなもんだ」

「でも、彼女を一日でも早く解放してやりたいって、他ならぬシモンが言ってたんですよ？　戦場に行っちゃったら、その間、何も出来なくなるじゃないですか。それに、俺はそんなことで、あいつのことを見くびったりもしませんよ」

「息子のことを信用してくれてありがとうよ。でも、それじゃ尚更じゃないのか？　先生……あいつはアナスタシアを助けるためなら、プライドをかなぐり捨てる覚悟はあったと思う。ところが君はあいつのことを決して軽んじたりしない」

「そりゃまあ」

「君にもっと軽んじられていたら、自分を殺してへえこらも出来ただろう。そうじゃないから、君に頼るばかりで心苦しくなったんじゃないか。なんというか、男の友情ってそんなもんだろう？　対等じゃなくなった瞬間に消えてなくなってしまう」

「…………」

「今回の件では、アナスタシアの借金を返すことは出来なくなってしまったんだろう？」

「ええ、まあ……」

「普通なら、そこで諦めるはずだ。ボーナスを貰った君の方には、もうお金を稼ぐ理由もないのだし。でも君は諦めずに次の手を考えている。そんな君にばかり頼っていて、自分でも何かをしなければと思ったんじゃないか」

なんだか本末転倒のような。でも気持ちは分かるような。但馬はなんとも言えない複雑な心境を味わった。だが果たしてそれが黙って居なくなる理由になるのだろうか……やはり釈然とはしなかった。

シモンの父親は続ける。

「そもそも君に出会わなければ、アナスタシアを身請けするなんてことは、考えることすら出来なかったんだ。夢物語だったんだよ。だから君には感謝こそすれ、決して悪い気持ちを持つはずはないと思うよ……」

「そう……だといいんですけどね」

「あいつなりに、いろいろ考えて、こう結論づけたんだろう。なら最後まで、見守ってやってくれないか」

そう言うシモンの父親は、息子思いの良い父親に見えた。とても最初に彼と喧嘩をしていた人物と同じ人とは思えなかった。

思い返せば、彼は初めは但馬に対しても批判的だったはずだ。息子のやることなすことにケチをつけていた。それが水車小屋に行ったことで、憑き物が落ちたかのように変わった。彼も夢を見られるようになったことで、少し変わったのかも知れない。

アナスタシアの、あの何もかも諦めたような表情が脳裏を過ぎる。

きっとシモンも、彼の父親も、本質的にはあれと変わらなかったのかも知れない。但馬は、出会う以前の彼らのことをまったく知らない。但馬が現れるまで、彼らはアナスタシアを助けるなんて考えることも出来なくて、そして喧嘩ばかりしていたのだ……それを自分が変えてしまった。

それが良いことか悪いことかは分からないが、少し肩入れしすぎてしまったのは確かかも知れない……本当なら、あまりこの世界の住人と仲良くなるべきではないのだ……自分はいつか居なくなるのだから。

アナスタシアを助けるのは、本来、自分ではなくてシモンの仕事なのだ。但馬が気にすることではない。なのに、どうしてこんなに気にしているのだろう。嫌われたと思って、焦ってしまったのだろうか……。

まあ、いい。考えすぎても仕方ない。但馬はため息を一つ吐くと、シモンの気持ちを飲み込むことにした。

＊＊＊

シモンの父親と別れて、いつものように水車小屋のあるスラムまで来ると、これまたいつものように物乞いが托鉢坊主みたいに念仏をぶつぶつ唱えていた。彼らは兵隊が通りすぎようが、なにしようが変わらない。バラック小屋の住人も相変わらずで、いつものように怪しげな薬をキメてラリってた。

気持ちを切り替えよう。少しギクシャクしていた矢先の出来事だったので、動揺してしまったが、男が消えたからって大騒(おおさわ)ぎしてどうするのだ。ホモなのか。

　水車小屋の中に入って、いつものように暗い廊下を右へ左へ。やがて明るい扉をくぐると、そこは動力室に続いている。

　但馬が扉をくぐると、この水車小屋の中で唯一(ゆいいつ)明るい動力室の作業机の上で、アナスタシアがいつもの手習いのように、紙に聖書の写しを一生懸命(いっしょうけんめい)書いていた。彼女(かのじょ)は但馬が来たことに気づくと、目だけを動かして上目遣(うわめづか)いで彼のことを捉(とら)えた。細長い絹糸のような彼女の前髪(まえがみ)がサラサラと揺れた。但馬は昨晩、うっかり遭遇(そうぐう)してしまった客との場面を思い出して、つい目を逸(そ)らしてしまった。

　ああ、そうか……自分ももう、嫌(いや)なんだ。彼女がああいうことをするのは。

だから、シモンがいなくなって焦っていたのだ。彼女のことを助ける道理が自分には無いから。

　アナスタシアが、室内に入らず扉の前で立ち尽くしている但馬を、怪訝(けげん)な表情で見つめていた。彼はため息を噛(か)み殺して、何事もない振(ふ)りをしながら室内に入った。

「おはよう、アーニャちゃん」

「……アンナじゃなくて、アナスタシア」

「いいんだよ。俺の国ではそう言うの」

ごく一部でな。但馬は話を逸らすかのように、何気ない素振りで言った。

「そういや、これから暫くは二人で作業しなきゃならないんだ。シモンが戦争に行っちゃったんでね……アーニャちゃんは聞いてた？」

「……うん」

「え？　マジで？　……くそ。俺には何も言わなかったのに」

あっさりと肯定の言葉が出てきて、但馬は肩透かしを食らった気分になった。彼女に言っていたとするのなら、シモンは前から軍隊に戻る気でいたようだ。でも、本当になんで但馬には言ってくれなかったんだろうか？　彼がコンプレックスを持っていたんじゃないかという、彼の父親の言うこともわかる。だが、やはり釈然としない。

「あいつ、行く前に何か言ってた？」

もしかして、彼女に何か言い残しているかも知れないと思い、但馬はまた何気なく聞いてみた。

本当になんとなくだった。彼女は少し考えてから、

「……帰ってきたら、結婚しようって言われた」

すると、とんでもなく意外な答えが返ってきて、但馬はドキリと心臓が跳ね上がった。

「……は？」

なんじゃそりゃあ。なんでそうなるんだろう？　但馬がちんぷんかんぷんといった顔をしていたら、彼女はいつものように眉毛（まゆげ）だけを歪めた無表情で、

「去年の暮れだったけど……お金出すから身請けするって言われたの」

「うん、それは知ってるけど」

「助けてくれるのは嬉しいけど、凄い大金だから、無理はしないでって断ったの」

「なんでさ？」

「借金の相手がジュリアからシモンに変わっても、あたしはここで体を売るくらいしかお金を稼ぐ方法がわからないから」

いや、そのお金は返さなくていいのだが……もちろん、シモンも彼女にそう言ったわけなんだが、それでは彼女は納得しない。以前、紙を玉葱と交換したように、彼女は理由のない施しを受けることはしないのだ。

だから彼は決断した。

「どうして？　って聞いたら、結婚しようって」

シモンは彼女のことが好きだから、自分の嫁（よめ）になってほしいから金を出すんだと言ったらしい。幼なじみを助けたい気持ちは本物だろうが、普通（ふつう）はそこまで踏み込めない。借金の額が額だから。それを迷わずやれるのは、彼が本気だからだ。

但馬は他人の日記を盗み見てるような、なんとも後ろめたい気分になった。

「今度の遠征から帰ったら、先生に頼んでお金はなんとかするから、結婚してほしいって言われた」

と、アナスタシアは言った。シモンは、やっぱり但馬を当てにしていたのだろうか？

「あ、そう……なんだ。ふーん……で、受けるの？」

「うん」

但馬は首を捻るばかりだった。

これが本当なら、ますます彼が何も言わずに行ってしまった理由が分からない。話を聞く限りでは、彼は帰ってきたらまた但馬を頼る気満々だったようだし、アナスタシアのことも決してほったらかしていたわけでもなさそうだ。

だったら、行く前に金を貸してくれなりなんなり言ってからにすれば良かったではないか。そうしなかったせいで、彼がいない間も、彼女は体を売り続けることになったのだぞ。後ろめたいならそうと言ってくれれば良かったのに……。

別にただで金をくれてやろうとしてたわけじゃないんだ。それなりにきつい仕事もしてもらうつもりだったんだから。もしくは金を貸してくれって言ってくれれば貸したんだ。自分が金を持っていることは、あいつだって知っていただろう。頭なんか下げなくてもいい。ひとこと言ってくれさえすれば、すぐに金は貸したんだ……。

但馬はブルブルと頭を振ってから、ため息を吐いた。

なまじ、助けられる金を得てしまったせいで、さっきから思考が変な方にばかり飛んでいってしまう。とにかく今は考えても仕方ない、シモンが帰ってくるのを待つしかないだろう。

彼は帰ってきたらちゃんと仕事の続きをやる気でいたらしいし、但馬が嫌われたわけでもなかったようだ。ならば、今はそれで良しとしよう。考えすぎてはいけない。

どうでもいいが、帰ってきたら結婚しようなんて、死亡フラグみたいなこと言うなよな……。

「まあ、そういうことなら……わかったよ。まあいいや。えーっと……それじゃ……そうそう、その間に紙漉きの方をどうにかしないとな……」

但馬は頭をポリポリ引っ掻くと、気持ちを切り替えて仕事をしようと水車の方へ足を運んだ。

大量生産の道は途絶えてしまったが、官公庁への卸しの仕事はすでに受注済みなのだ。

取り敢えず、早急に用意して欲しいと言われた枚数だけでも、さっさと漉いてしまわねばならない。商売は信用が命である。プライベートで気になることがあっても、それで手を抜くわけにはいかない。

その後はどうしようか。但馬が一人でやるしかないだろうか。それとも誰か臨時に雇って対応するべきか。売り方も工夫しないと自分で自分の首を絞めかねない。例えば、官庁や富裕層向けには高品質なものを用意し、低所得者層にはわざと品質を落としたものを売るとか、機械的に処理して効率を上げる方法も考えたほうがいいだろう……いずれ帰ってくるシモンのために仕事も残しとかないといけない……。

そんな風にあれこれ考えながら、水車の動力部を弄ってる時だった。

「げっ……気持ち悪ぅ⁉」

見れば但馬の足元に、なにやらぶよぶよした奇妙な物体が入ったコップが放置されているのに気がついた。

オラついた猫みたいに飛び上がり、恐る恐る、コップの中身を確かめてみると、

「うわ、これって……」

コップの中身は、どうやら水酸化ナトリウム水溶液で溶かされたカエルか何かの死骸のようだった。細胞のタンパク質が溶けて、半透明でブヨブヨになった皮が浮かんでいて、もはや骨格標本のようになりつつあった。

そういえば、昨日小屋に来た時、スラムの子供たちがゲラゲラ笑いながら色々とぶっ殺

していた。子供って残酷っすなあ～……などと言って放置していたが、子供は残酷な他にも、片付けができないという習性があることを忘れていた。

「とほほ～……これ、俺が片付けないと駄目なのかな」

　但馬は涙目になりながらコップをつまみ上げると、まともに片付ける気にはなれず、環境破壊上等で川に捨てに行くことにした。

　小屋を出て川岸でドボドボとコップの中身をぶちまける。しかし、一日放置してたせいか、コップの底に白いドロドロしたものがこびり付いてしまっており、逆さまにしただけでは全部流れてはくれなかった。

　もしかして苛性ソーダが沈殿したのかな？　と思いもしたが、こんな風にこびり付いたりはしないだろう。

　なんだこれ？　と思いながらも、もちろん手で触る気にはなれなかったので、そのままコップごと川の中にドボンと突っ込んで、棒きれで中身をぐるぐるとかき混ぜたのであるが……。

「あ……」

　すると、コップの中身で沈殿物が泡立ち始めて、たくさんのシャボン玉が川から飛び出し、ふわりふわりと風に乗って、屋根まで飛んで壊れて消えた。

但馬はそれを見て思い出していた。水酸化ナトリウム、つまり苛性ソーダに脂肪酸や油を混ぜると、鹸化して白いクリーム状のものになる。それを冷やして固めたものをなんと呼ぶか……。

これを石鹸と呼ぶのだ。

一章

14・まるで血の通わない人形みたいだ

それからの但馬の行動は早かった。

その場にいたアナスタシアに普段何を使って洗濯をしたり、食器を洗っているのかと尋ね、基本的に水でしか洗わないことを確かめると、礼も言わずに小屋から飛び出し、市街を駆け回った。

街中をぐるりと回って様々な店で聞き取り調査したが、どこもかしこも洗剤のような道具は使っていなかった。いきつけの屋台のおっさんからは、主にレモン汁のような酸を使うと聞き及び、建築現場の作業員に尋ねてみたら、昔は灰汁洗いをすることもあったが、かなり稀なことであると言われた。

庶民はほぼ百パーセント水洗いしかせず、料理店も店によってまちまちで、砂を混ぜたり粘土を混ぜたり、店ごとのやり方があるらしくかなり驚かされた。しかし、そのどれも有効的な手段とは思えず、それ本当に意味あるの？　ってな感じのお呪い的なものでしかなかった。

やはりこの世界、とくにリディアという国は大木を忌避する傾向から、木炭や木灰を使うことがあまり無いようである。すると当然、炊事洗濯で日常的に洗剤が使われてる可能性も低いわけで……。

「これは、商売になるな」

製紙工場の夢は潰えたが……木を切り倒さないで済む石鹸工場ならまだ可能だ。しかも、きっとこっちの方が市場に与えるインパクトも大きいだろう。

「どうする？　シモンはいないが……」

いや、何に遠慮する必要があるのか。それに、シモンは言っていたはずだ。何かするときは、自分かアナスタシアを使ってくれと……要するに、どっちかに金が落ちればいいだけの話だろう。

やろう……彼が何を考えていたかは分からないが、帰りを待ってはいられない。但馬は何かに追われてるような気持ちで、そう決意した。

「アーニャちゃん、仕事だ」

というわけで、翌朝、水車小屋にやってきた但馬は、開口一番そう言った。

昨日、何だかよく分からないことを聞いてから、急に出ていったかと思ったら、帰ってきていきなりこれだ。アナスタシアは少々面食らうように、

「……仕事って、今度は何？」

「今度も雑用。暫く街を行ったり来たりして、人と会ったりする手伝いをしてもらう」

「街に行くのは、ジュリアに止められてるんだけど」

いつも小屋にいるし、まあ、なんとなくそんな気はしていた。客は街からやってくるから、向こうで鉢合わせしないようにだろう。但馬は、

「分かった」

と言うと、何が分かるの？　と言いたげなアナスタシアを置き去りに部屋から出た。そして水車小屋の玄関付近にいたジュリアを捕まえると、

「ジュリアさん。今日はアーニャちゃんの客は取らないでくれ」

と言った。ジュリアは怪訝そうに、

「あら～？　どうしてかしら～ん。お姉さんにも、分かるように説明してくれな～い？」

「人手が必要なんだ。シモンが行っちまったからな。だから今日は、夜も彼女の時間を買いたいんだよ。あと、街に連れてくのを許可してくれ」

但馬がそう言うと、ジュリアは一瞬だけ真顔を見せたが、すぐにまた柔和な顔に戻って、いつもの調子で、

「ふ～ん……そう。別にいいわよ～。お姉さんとしてはぁ、お金が入ってくるなら、どっ

ちでも同じだから〜。でも、夜は高いわよ〜……分かってるの〜？」

但馬は無言で頷くと、ポケットに無造作に突っ込んでいた金貨を手に取って指で弾いた。ジュリアはそれを、やれやれといった感じに肩をすくめてキャッチした。

さて、アナスタシアを連れだそうと思って但馬が振り返ると、その必要はなく、彼女はすぐ後ろにいた。

「……先生、なんのつもり？」

眉間の皺が、より一層深くなった気がする。もしかしたら、夜の時間を買われたということは、そういうことだと思われたのかも知れない。

「誤解しないでくれよ？　マジで人手が必要なんだ。多分、君が思ってるよりも、これからの数日間は忙しい」

「…………」

「取り敢えず、まずは市街に行こう。話はそれからだ」

「市街のどこに？」

「シモンの家だ」

但馬がそう言うと、アナスタシアは、えっ？　と戸惑いの表情を見せた。それは彼女にとっては珍しい反応であり……彼はそんな彼女の様子に気づいていたが、気づかない振りで踵を返すと、一度も振り向かないでまっすぐに市街へ向かった。アナスタシアは渋々と後をついてきた。

シモンの家にたどり着くと、最近はすっかりお馴染みになってきた彼の母親が、丁度店を開けているところだった。但馬はシモンの父親がいるか尋ねたのであるが、

「あら～！　アナスタシアちゃんじゃないかい⁉」

彼女はそんな但馬などお構いなしで、彼の後ろにいたアナスタシアに話しかけていた。多分、数年ぶりとか、それくらいの話なのだろう。シモンの母親はオバさんパワーを炸裂させ、異様なほどにアナスタシアに構いだし、そしてアナスタシアは借りてきた猫のようになっていた。

ダメだこりゃ。

こうなっては仕方ないと、但馬は彼女たちを置き去りにして、路地裏に回って奥の鍛冶場を覗き込んだ。すると、丁度シモンの父親が鉄を叩いており、彼は但馬に気づくと手を休めて、どうしたんだい？　と聞いてきた。

「……ふむ。すると、あの蒸気機関を使って、電気をもっと作りたいと」

「はい。それで、今のままじゃ効率が悪いんで、色々改造したり、新しい機械も作って欲しくて」

但馬が石鹸の作り方を説明し、苛性ソーダが大量に必要だと言うと、彼はすぐに理解を示してくれた。

「シモンに頼めれば良かったんだけど」

「なるほど。俺は息子の代わりか」

「いやいや、代わりなんてとんでもないです」

「冗談だ」

シモンの父親はにやりとした笑みを浮かべて、

「あいつなんか、まだまだ毛の生えた赤ん坊みたいなもんだ。なあに、俺に任せておけば、何だって作ってみせますよ、先生。大船に乗ったつもりでいてくれよ」

そう言って、彼は豪快に笑った。

その後、父親と一緒に発電機の改造案を出しあい、その仕様を詰め始めた。やがて母親に解放されたアナスタシアがほうほうの体でやってくると、父親もまた懐かしそうな顔をしだしたから、牽制するように咳払いし、彼女も交えて意見の交換を続けた。

設計図を作るために紙が必要だから、作業場に取りに行ってくれと頼んだところで、彼女もようやく自分が雑用として雇われたことを思い出したらしく、黙って小屋まで走ってくれた。

その日は遅くまで議論を続け、もう夜も遅いからと、シモンの家に泊めてもらった。シモンの父も母も、まるでアナスタシアのことを娘のように可愛がるものだから、彼女は居心地が悪そうにしていたが、しかし、その眉間の皺はいつもより少し和らいで見えた。

どうでもいいが、久しぶりにまともな寝床で寝た気がする……。

翌朝、水車小屋に帰ってくると、遊びに来ていたスラムの子供たちに小遣いをばら蒔いて、電気分解で苛性ソーダを作っておいてくれるように頼んだ。但馬が居ない間も勝手に作って遊んでいたくらいなので、特に嫌がられることもなく、快く引き受けてくれた。

但馬はその間に穀倉地帯までやってくると、無数にある畑をシラミ潰しに、農作業をしている人たちの中から、とある人物を捜して歩いた。

「あんれまあ、おめさん、久しぶりだっぺなあ。オラになんか用だべか？」

この世界に来た翌日、ブリジットと一緒に街へ向かう道すがら、偶然出会ったおじさんである。確か、彼はコットンの輸出で一財産を築いた豪農だということを思い出し、

「お久しぶりです。良かった、見つかって。捜してたんですよ」

「なんだ、オラんこと捜しとったんか？　おめさん、たまーにあのへん駆けてくっから、おじさんよーく見とったでよお。ほしたら、そんとき声さかけてくれればええのに」

「え、そうだったの!?　気づかなかった……実は、今日はちょっとお願いがありまして

「……」

但馬はカクカクシカジカと話を切り出した。

「油？　油さ欲しいんだべか？」

石鹸作りで大量に必要になるから、綿実油を融通してくれないかとお願いしたら、おじさんは物珍しそうな顔をしながら引き受けてくれた。なんなら他にも、牛脂やオリーブオイル、各種シードオイルを分けてくれるそうである。相談して良かった。

その後も数日間はやることがたくさんあり、但馬は寝る間を惜しんで働いた。

ある程度苛性ソーダを確保できたところで、試作品を複数個作成し、アナスタシアと手分けして市内の有力そうなレストランやホテル、露店を中心に営業をかけた。なおかつ市内に点在する洗い場や水場で主婦を相手にデモンストレーションを行って、石鹸の存在を周知して回った。

評判がついてきたところで、お次はアナスタシアを仕立て屋に放り込み、まるで『プリティ・ウーマン』のジュリア・ロバーツよろしく変身させてから、インペリアルタワーの銀行へと乗り込んだ。

ガキが二人で行って舐められてしまっては困ると思っての行動だったが……銀行のドアをくぐるなり、すぐに頭取らしき男が飛んできて、但馬を奥の応接室へと招き入れてくれた。

どうやら、国王から報奨金をもらったことを既に聞き及んでいたらしい。その際、大臣から、但馬が製紙工場を建てる可能性があるから、便宜を図るようにと言い含められていたようだ。

「え？　製紙工場ではないんですか……？」

ところが、やりたいのは石鹸の方だと言うと、審査が要るとか、稟議が通らないとか色々とゴネ始めた。前例がないから、どのくらい売れるか想像がつかないのだ。現物を見せて絶対に儲かるからと説得をしても、なかなか首を縦に振ってくれなかった。

手持ちの金貨一千枚を使ってもいいのだが、出来ればこれにはまだ手を付けたくないんだよなあ……と困っていると、その時、ふらりと三大臣の一人がやってきて、

「別に抵抗しても良いが、逆らうな」

一言だけ言って、頭取を置き去りにしていった。

何しに来たんだ、あの人は……但馬のことを魔王か何かと勘違いしてるんじゃなかろうか……？

なにはともあれ、大臣のお墨付きが出たことで頭取の態度も軟化し、それじゃ担当者をつけるから、今後はそちらを通してくれと言われた。こちらも、いくら借りるとか、どの

くらいの規模になるとか、まだ未知数なところがあるのでプロの意見が聞けるなら大助かりである。

銀行を出たら、今度は同じビル内にあるハローワークへとやってきた。一生お世話になりたくないと思っていたが、雇う側として利用するなら話は別だ。

その後、シモンの父親に頼んでおいた発電機の試作品が仕上がり、試しに蒸気機関を使って動かしてみたが、機械の方は問題なく動いたのだが、電気分解の際に発するガスのほうが洒落にならない感じだった。

それで少々問題はあるのだが、この際、発生する塩素と水素も分離することにして、これらを貯蔵するタンクの制作も依頼した。

そんなこんなで薬品の生産も順調に増えてきて……。

試作品が上がるたびに、出来上がったばかりの石鹸を、サンプルとしてあちこちにばら蒔いておいたおかげで、知名度もうなぎのぼりで……。

およそ一ヶ月が経過し、ようやく工業化の目処が立ってきた時には、まだ売りだす前だというのに、銀行がいくらでも融資すると言ってくれるくらい、国内の石鹸需要は高まっていた。

＊＊＊

いつものように夜の中央広場に行くと、馴染みの屋台のおっさんが声をかけてきた。

「よう！　ソープの兄ちゃん。まあ、飲んでけ飲んでけ」

「だだだ、誰がソープやねん⁉」

石鹸の販売を開始してから、但馬はいつの間にか詐欺師から、ソープの旦那とかソープの兄ちゃんとか、何のひねりもなくそのままソープとすら呼ばれるようになっていた。

「あれ？　ソープっていうんじゃなかったっけ？」

「いや、ソープだよ？　確かにソープだけどさあ……」

「なら良いじゃねえか詐欺師より」

「……個人的には詐欺師もソープも大差ないんだよなあ」

そんなことを言っても、彼らにしてみればちんぷんかんぷんだろう。但馬は嘆きながらも、甘んじてそれを受け入れることにした。いっそホントにソープランドでも作ってやろうか。

ソープ王に俺はなる！

それはさておき、大量生産の目処が立って、いよいよ工場建設が始まると、但馬を取り巻く環境も変わってきた。

ハローワークに出しておいた求人にはひっきりなしに応募が来るようになり、その都度面接なんてやってられないから、工場の稼働にあわせて集団面接をすることになった。面接をする前に、みんながある程度絞り込んでくれるのだが、それでもかなりの人数に会わなければならない。

それで一人では心許ないので、まだ会社も設立していないのだが、役員候補であるシモンの父親と農場のオジサンに頼み込んで出席してもらい、その日は面接のために、シモンの家に集まっていた。

「……はあ～……まさか、こんなことになるとはなあ。軽い気持ちで引き受けるんじゃなかった」

「ダラシねえなあ。先生さ見ろ、堂々としたもんじゃねえべか。おめさんより一回りも二回りも若えのによう。シャキッとしねえか」

アナスタシアの父親の蒸気機関は、結局、市内に運び込むことにした。水車小屋はスラムにあるので、人を雇うには都合が悪かったからだ。

水も大量に確保しなければいけないから、大きな川沿いに工場予定地を借りたのであるが、シモンの家からはかなり遠いので、彼の父親はメンテナンスのためにここ数日はそちらへ泊まりこんでおり、今日は面接のためにわざわざ帰ってきてくれたのだった。

しかし、元々が街のしがない鍛冶屋であったから、いきなりこんな大事になってかなり面食らっているようだ。対して、農場のオジサンの方は、普段から従業員を雇ったりしてるから落ち着いたもので、どっしりと構えていた。

家の周りには、既に応募者が集まってきており、間もなくアナスタシアに呼ばれた最初の数名が入ってくるだろう。

但馬は窓辺に立って、応募者たちがごった返す通りを眺めていた。

思い返せば、この世界に来てから二ヶ月弱、丁度夏休みが始まって終わるくらいの期間だろうか。あの駐屯地の営倉で下痢して気絶してから、随分遠くまで来たものである。

初めは詐欺で捕まって……紙を作ったり、電気を作ったり、薬品を作ったりして、あと一歩のところで大量生産の道が閉ざされて……一度は諦めかけたところ、起死回生の策が目の前に転がってきて、これはいけると突っ走ってきた。

売春婦になってしまった幼なじみを助けたいというシモンに金儲けの話を持ちかけられて……でもそのシモンは今はいなくて……なのに自分はこんなところで何をやっているのだろうか。

「やっぱ、あいつに黙って勝手にやっちゃったのはマズかったかな……」

けど、彼が帰ってくるまで、数ヶ月も待つのは嫌だったのだ。自分に出来ることがあるのに、ただ黙っているのは……しかしそれは、本当に大きなお世話ってやつで……もしかしたらシモンが帰ってきたら、彼は傷つくかも知れなくて……本当に、なんで彼は黙って居なくなってしまったのだろうか。

「一言言ってくれればなあ……」

そんな風に、但馬が後悔（こうかい）にも似た心境で今日までのことを振り返っていると、

「先生……来客なんだけど、通してもいい？」

部屋の外からアナスタシアが声をかけてきた。多分、そろそろ面接を始めてもいいかと聞いてきたのだろう。

いよいよか……シモンの父親が、緊張感（きんちょうかん）を隠（かく）し切れないといった表情で、用意された机の前で腕組（うでぐ）みをしている。それを農場のオジサンがニヤニヤしながら見ている。

「ああ、うん。通していいよ」

そう返事すると、但馬も彼らと同じ机へと向かい……。

まだほんの少しの躊躇（ためら）いと罪悪感を感じながら席へとついて……。

顔を上げると、そこには面接に来た応募者ではなくて、何故（なぜ）かブリジットが立っていた。

「あれ？　ブリジット？　久しぶりじゃないか。元気してた？　……って、来客ってマジ

で来客だったのかよ」

　およそ一ヶ月ぶりだろうか。恐らく彼女も前線に行っていたのだろうが、それにしては帰還するのが少し早すぎる気がする。一体何の用事だろうかと不審にも思ったが、しかし、今は面接があるので、

「ごめん、実は今日は忙しくってあんま相手してらんないんだけど……」

　面接会場に突然現れた彼女は、いつものようなにこやかな笑みはすっかりと鳴りを潜めていた。ただ無表情に、ただ冷静に、沈痛な面持ちのままじっと身じろぎもせず立っている。服装も今まで見たこともないような格式張ったもので、おそらくは式典用の軍服か何かなのだろう。

「お忙しいところ、大変失礼致します」

　ふわふわの金髪が風もないのに揺れる。彼女はシモンの父親に向かって、深々とお辞儀をし……そして顔をあげると、まっすぐ彼に向かって敬礼をした。

　まるで儀式めいたその仕草に、言い知れぬ不安を感じた。

　さっきまで緊張でガチガチだったシモンの父親は、今はのっぺらぼうに描いた絵みたいに、白々しい笑みを顔に張り付けていた。現実を受け入れたくない人が見せるような、そんな顔だ。

気がつけば、但馬の指先も、寒くもないのにブルブルと震えていた。

敬礼するブリジットのもう片方の手には、いつかどこかで見たことがあるような、突撃ラッパが握られていて……。

但馬はそれから目を離すことが出来なかった。

＊＊＊

リディア軍はクリスマス休戦明けに首都ローデポリスを進発し、およそ２００キロ西方にある前線まで十日間の行程で進軍、無事ヴィクトリア峰基地に到着し、河川を見下ろす斜面に布陣した。先行部隊と合わせ総数はおよそ六千、現代でいうと旅団規模のリディア軍は数の上ではメディア軍を圧倒していたが、地形と兵の屈強さの違いで戦線は膠着していた。

亜人兵は、一人ひとりが人間の比ではなく精強であり、およそ人間３に対し亜人１で互角と言われていた。しかし、元々一匹狼気質の亜人は味方との連携が取れず、集団戦闘にはあまり向かなかった。

そのため平地では数に物を言わせた人間の『面の攻撃』の方が優勢であったが、隘路に

入るなどすると、亜人による『点の攻撃』になすすべがなかった。

上述の理由により、ヴィクトリア峰を巡る争いでは、初めこそ人間側が海岸付近の平地で優位に事を進めていたのであるが、それがヴィクトリア峰南部の河川に達すると、渡河に手間取ってそこをメディア軍に突かれ消耗戦を強いられた。

川幅は二百メートル弱と広くもなく狭くもなく、至って普通の河川であるのだが、視界が開けているため渡河の準備をすると、向こう岸から狙い撃ちにされる。兵を分けて、少数で対岸へ迂回攻撃を試みようにも、上流は森に阻まれ、河口は外洋の激しい海流のせいで船を出せない。また、兵の強さは相手が圧倒的に上であるから、下手な奇襲はただの決死行に成りかねず、結果的に双方とも手詰まりとなって、川を挟んで弓を撃ちあうくらいしかやることがなくなり、それがもう十年以上も続いていたのだ。

そんなわけで、厭戦感情が熟成しきった昨年の暮れ、遂にクリスマス休戦の協定が合意に達すると、リディア軍の士気はかつてないほどまで落ちこみ、休戦が明けても規律は緩み切っていた。それはメディア側も同じようで、再開戦初日こそ双方が儀式のように弓を撃ちあったが、翌日には睨みあうだけでどちらも動こうとはせず、偵察も明らかに減っている印象だった。

リディア軍大将マーセルはこの局面に際し奇策を講じた。どうせ緩み切っているなら、考えたのだ。

規律の引き締めを図るよりも、寧ろ敵の油断を誘おうとしたのだ。亜人は体こそ頑丈であるが、頭の方は少々弱かった。故にこちらが油断していると思えば、隙が生じるだろうと考えたのだ。

実際、リディア軍が三日に渡って斥候も出さず、弓も射掛けず、のんびり構えていると、やがてメディア側も、威力偵察さえもせずに、漫然と防塁に引きこもり始めた。十年以上も同じことをやっていたから、攻めようという気が起こらないのだ。

敵軍は完全に油断しきっている。そう判断した将軍は、側近を集めてこっそりと作戦会議を実施すると、奇襲作戦を行うことを決断した。そして再開戦から十日後の新月の晩、山の裏側に秘密裏に集結させた奇襲部隊に、森を遮蔽物として渡河し、敵陣の背後に回りこむように指示を下した。

シモンは、その作戦に志願していたそうである。

彼が何を考えてそうしたのかは、分からない。結果として、この作戦は失敗に終わった。将軍の目論見通り、完全に油断しきっていたメディア軍は気づかなかったのだが、代わりに森のエルフに気づかれたのだ。

もちろん部隊は慎重を期して森には入らなかった。だが、森のすぐ脇を進軍していたため、森の中からは丸見えだった。どうやらリディア・メディア両軍とは違い、戦が再開すると、エルフの方は人間たちの接近に相当過敏になっていたようだ。普通なら、少し近づくくらいでは気づかれたりはしないのだが、運悪くこの大事な局面にその異常事態が起こってしまった。

突然のエルフの襲撃が始まると、部隊長は即座に任務失敗と判断して撤退を開始した。そして少しでも森から離れるために、山の斜面を駆け登り、山頂経由で本隊を目指そうとした。しかし、魔法戦に気づいたメディア軍にあっという間に追いつかれ、部隊は背後から激しい攻撃を受けることとなった。

奇襲部隊のため元々戦力が少なかったこと、退路が山道であったため進軍速度が著しく低下していたこと、メディア軍に近づきすぎていたこと、逆に味方からは遠くて気づいてもらえなかったこと。様々な悪条件が重なって、ようやく増援が駆けつけたころには、部隊はほぼ全滅状態だったという。

ブリジットの口からその報告を受けたシモンの両親は肩を落として頽れた。母親が声を上げて号泣し、父親は死人のような顔で身じろぎ一つしなかった。

もはや面接などやってられるわけもなく、但馬は集まった人々に事情を説明して帰ってもらった。彼らは突然の出来事に戸惑っていたが、不満を口にすることも無く、お悔やみを述べて去っていった。まさか前線でそんなことが起きてるとは思わず、皆一様に驚いているようだった。

＊＊＊

悲劇がローデポリスに伝わってから一週間、喪に服す街は活気を失っていた。中央広場では国葬が執り行われることになり、このところの厭戦感情もあって、参列する人々からは口々に停戦を求める声が上がっていた。

いつも但馬が潜り込んで寝ていた植え込みには献花台が置かれて、色とりどりの花で埋め尽くされていた。献花台には犠牲になった一人ひとりの名が刻まれたプレートが掲げられており、そこにシモンの名前を見つけると、名状しがたい物悲しさに襲われた。

こうしてヴィクトリア峰をめぐる争いは、リディア軍の撤退という方向へと流れが変わった。長く続いた戦争も、一応の終結を見ようと動き始めたのである。しかしそれは、多くの人の心に傷を残しただけで、何も生み出さないものだった。

思えば、アナスタシアの父親が首を括ったのも、この戦争が切っ掛けだった。その結果、彼女は売春婦に落とされ、シモンは戦死し、彼の両親は今涙に暮れているのだ。なんと声をかけていいのか分からない。

順風満帆(じゅんぷうまんぱん)だった工場建設も滞(とどこお)り、但馬はもう何から手を付けて良いのか分からなくて、日がな一日飲んだくれては、気絶するように眠(ねむ)る日々を過ごしていた。
ほんのちょっと、いい気になっていたのかも知れない。だからバチが当たったのかも知れない。皆が口を揃(そろ)えて但馬のことを褒(ほ)めそやしたが、やはり自分は誰(だれ)かの力を借りないと何も出来ない、ただの異邦人(いほうじん)に過ぎない。守ってくれる家族もいない。帰る家などどこにもないのだ。

それでも、どうにかこうにか気を取り直すと、彼は再び水車小屋へと戻(もど)ってきた。今回の件で事情を察して待ってもらってはいるが、官庁への紙の供給も、新しく始めた石鹸の受注も、やらねばならないことはいくらでもあった。

シモンの父親の助けは、今はまだ得られそうにない。今後の展望はまるで読めない。この先に何が待っているのかはまるで分からない。それでも、やれることは一つずつ片付けていくしかなくて……。

しかし……どこまでやればいいのだろうか？

自分は一体……何をやっているのだろうか？

元々、紙も石鹸も、シモンがアナスタシアを助けたいと言うから始めたのであって、但馬が生活のために始めたことじゃない。その彼が死んでしまったら、こんな面倒(めんどう)くさいことをやる理由なんてないはずだ。

但馬はすでに金持ちで、働かないでも生きていけるし、何のしがらみも持ってないから、その気になればどこにだって行けるのだ。もうこんなことは忘れて、酒でも飲んで、面白おかしく暮らしてけばいいじゃないか。面倒くさいことは全部放棄して、元の世界に帰る方法だけを探していればいいじゃないか。

水車小屋の曲がりくねった廊下を通って、いつもの光溢れる動力室への扉をくぐると、これまたいつも通りのアナスタシアが、いつもと変わらない顔で、紙に向かって熱心に聖書の言葉を書き綴っていた。

まるで血の通わない人形みたいだ。

彼女は但馬が入ってきたことに気がつくと、一瞬だけちらりと視線を上げて、手を止めて何かを言いかけたが、やはり何も言わずに眼を伏せた。

但馬も何かを言いたいのだが、何を言って良いのかが分からず、思い浮かんだのはせいぜい挨拶の言葉くらいだった。

「おはよう……」

但馬が来なかったこの数日間、彼女は何をしていたんだろうか……？

そんなの分かり切っているじゃないか。ここが何をする場所なのか……。

嫌な想像ばかりがぐるぐるぐるぐると頭の中を駆け巡る。耳をふさぐように両手で頬っぺたを引っ叩くと、彼は作業に没頭した。

川の流れる音と、彼女の鉛筆の音と、水車が回るたびにコトコトと鳴る規則正しい動力音が、まるで眠りを誘うかのようにリズムを刻んでいた。常夏のリディアの陽気が、ぬるま湯のように体を包んでいく。けれど頭の芯が冷えていて、ちっとも眠気は感じなかった。

と、その時、トントンと部屋の扉をノックする音が聞こえて、珍しい来客がひょっこりと顔を覗かせた。

「こんにちは、先生。お時間よろしいですか？」

見ればブリジットが大きな荷物を背負って立っていた。

彼女は育ちが良いせいか、水車小屋を嫌ってここまで踏み込んでくることは滅多になかった。一体何の用事だろうかと、但馬は彼女を部屋の中へと誘うと、彼女はアナスタシアに会釈してから、背負っていた籠を作業台の上にドスッと置いた。但馬も彼女らのいる作業台の椅子に座る。

「ここ数日、姿はお見かけしてたんですが、中々声がかけづらくって」

申し訳なさそうにそう言う彼女の持ってきた籠の中を覗き込んでみると、

「……タケノコ？　それも、こんなにいっぱい？」

但馬は籠の中から一つ手に取ると、それをくるくる回しながら確かめた。どこからどう見ても何の変哲もないタケノコだ。タケノコご飯でも作りたいのか。それとも鍋でもやりたいのだろうか。そんなことを漠然と考えていたら、

「それ、シモンさんの遺留品なんです」

その言葉があまりに意外すぎて、思わず持っていたタケノコを床に落としてしまった。但馬は慌ててそれを拾い直し、彼女に尋ねた。

「え？　どういうこと？」

「ヴィクトリア峰には竹が生えてるんです。山の裏側の斜面に群生しているんですが、大きい木なのに何故かエルフが寄ってこないんで、前線では積極的にエルフ避けの遮蔽物として栽培しているんですよ」

それは竹が木ではなく、草という扱いだからだろうか？

ともあれ、シモンはそのことを、紙の大量生産の道が途絶えた時に思い出したらしい。但馬が古代中国の竹紙の話をしていたから、もしかしたらこれが使えるかも知れないと思ったのだろう。

「前線についたら彼は休日を利用してタケノコを掘りに行って、籠に詰めていたんですよ。先生に送るんだって。それで、手紙を書きたいけど文字が分からないからって、私に書き

方を聞きに来まして……」

そう言って彼女が差し出した紙切れには、汚い文字で、

『先生、おれもやくにたつっしょ』

と、書かれていた。

『しもん』

なんてことはない。彼は紙の大量生産をまだ諦めていなかったのだ。

但馬に黙って行ったのは、きっと照れ隠しか何かで……帰ってきたら、一緒に工場を建てようぜと言うつもりだったのだ。自分もちゃんと役に立つだろうと、ドヤ顔を決めて。

だからアナスタシアにも、帰ってきたら結婚しようと言えたのだ。工場さえ建てれば、きっと借金が返せるに違いないと思って。

「ヴィクトリア峰の抑えを盤石にするため奇襲隊に参加すると言われた時は、はっきり言って驚きました。もちろん止めはしたんですが……それでも自分も何かがしたいんだって言われまして……立場上、それ以上は強く止めることが出来ず……すみません」

ブリジットは頭を下げた。但馬は長い長い溜め息を吐いた。

ブリジットのせいじゃないのは分かり切っている。シモンは竹林を守りたかったのだ。それがあれば工場が建てられるから。自分の夢を叶えるためにそうしたのだ……。

突然、姿を消してしまった彼が何を考えているのか分からなかった。でも、分かってしまえば、やっぱりシモンはシモンだった。

いつの間にか外は暗くなっていて、もう間もなく、水車小屋は売春宿に切り替わる時間だった。

「ナースチャ！」

ジュリアの声が聞こえてきて、話を聞くとはなしにぼんやりと聞いていたアナスタシアが、すたすたと部屋から出ていこうとする。彼女の感情はフラットで、やはりどんな時でも変わりはしない。

親が死んでも、幼なじみが死んでも、婚約者が死のうとも、彼女は理由がない限り、きっと体を売るだろう。

今までも、これからもずっと、売り続けるつもりだろう。

他に生き方を知らないのだ。心がすり減ってしまって、もうこれ以上傷つきようがないのだ。

十四歳の小娘が、どうしてこんな不幸ばかり背負い込まなけりゃいけないんだ。

但馬は出ていこうとするアナスタシアの手をぐいっと引っぱった。

「先生……？」

その拍子に彼女が胸に抱いていた紙束が舞った。神の言葉がいくつもいくつも刻まれている紙きれが、まるで重さのない羽みたいにヒラヒラと舞い散る。彼女のその祈りは、どこに吸い上げられてしまったのだろうか。何に消費されてしまったのだろうか。どうしてこんなにも軽いのか。

「ナースチャ？　どうしたの～ん？　そろそろお客さんが来るわよ～」

いつまでもやってこないアナスタシアに痺れを切らして、ジュリアが様子を見にやってきた。彼女は慌てて仕事に向かおうとするも、痛いくらいに握りしめる但馬の手に阻まれた。

「あら～？　どうしたの、ボク～？　もしかして、またこないだのお仕事の続きかしら？　お金をいただけるなら別に構わないけども～」

ジュリアは但馬がまた石鹸工場の件で、彼女を借りようとしていると思っているようだった。しかし彼は真剣な眼差しで、そうじゃないと首を振ると、

「ジュリアさん。彼女にはもう、客を取らせないでくれないか」

そう言って、ずっと換金せずにいた小切手を差し出した。

ジュリアは、但馬が何を言っているのかすぐには分からなかったようだが、彼の差し出した小切手に書かれた金額と、その顔がすごく真剣であることに気がつくと、

「それはつまり……あなたが代わりに、この子を買い受けようってこと？」

彼女はいつもとは違って、少し冷たいくらいの真面目なトーンで言った。

「あのねえ、ペットを飼うのとはわけが違うのよ？」

「そんなことはわかってるよ」

「この子は一人で生きていくにはまだ幼くて、頼れる親もきょうだいもいないの。仮に借金がなくなったとしても、これ以外の生き方を知らないのよ。どうせここに戻ってきてしまうなら、いっそ私が手元で面倒を見てあげようかなって思ってたんだけど……」

そうなのかも知れない。でも、だったら、なんだというのだ。

「軽い気持ちで引き受けても、きっと後が続かないわよ。あなたが同情する気持ちは分かるわ。あなたはいい人よ。でも、だからってずっとそばにいて、面倒を見てあげられるの？まだ知り合ったばかりなのに……あなたがそこまでする義理はないじゃない」

「なくったって、別に構わないだろ」

「構うわよ。ただお金を出して解放してあげれば、それで済むって話ではないの。どうせいずれ手放してしまうのであれば、何もしないほうがまだマシよ。知ってる？　そういうのを偽善って言うのよ」

確かに彼女の言う通りかも知れない。子供の彼女は生き方が分からない。金を施しただけでは、彼女のことは救えない。誰かが手を取って導いてやらねばならない。それが但馬に出来るのか？　と問われれば、自信がないと言わざるを得ない。

　そもそも、但馬は元の世界に帰るのが目的なのだ。もしその方法が分かれば、すぐにでも帰りたい。自分は元々この世界の住人ではないのだ。異邦人なのだ。いつか彼女と別れる日が必ずやってくるだろう。

　それに彼女と比べれば年長というだけで、但馬だって言うほど大人じゃない。子供を育てた経験なんてないし、ましてや女の子と同棲したことなんてない。分からないことだらけだ。

　本当なら見て見ぬふりをして忘れてしまえばいいのだ。それを誰かが咎めたりなんてしない。大体、彼女よりも不幸な子供なんていくらでもいるだろう。そしてその全てを救えるわけじゃない。

　だけど、出会ってしまったのだ。他ならぬ彼女に……どんなに祈りを捧げても、神様が助けてくれることのないちっぽけな命に。

　そして、気づいてしまったのだ。それを救おうとする意志に……それはあとほんの少しで彼女に届こうとしていた。

　それに気づいていながら、通り過ぎることなんて出来ない。彼らと過ごした時間は確かに短かったかも知れないけれど、この右も左も分からない世界で、それはかけがえのない絆だった。

「偽善の何が悪い！」

但馬は叫んだ。

「同情して何が悪い！　自分に助けられる命があると知っているのに、手を差し伸べて何が悪いんだ！　見て見ぬふりは、もうたくさんだ！　別にシモンに義理立てしようとか、アーニャちゃんに気があるとか、そんなんじゃないんだ。単に気に食わないんだよ！　落ち着かないんだよ！　苦しくて、仕方がないんだよ！　本当はもっと早くに、こうしておけば良かったんだ。そうすれば、シモンは死なずに済んだのに……偽善の一体何が悪いってんだっ!!」

気がつくと肩で息をしていた。但馬は本当はこんな大声で叫ぶようなキャラじゃない。だけど、一度口をついて出たら止まらなかった。ずっと腹の中で煮えたぎっていたものが、一気に噴出したみたいだった。

ジュリアはそんな但馬を見て少し驚いていたが、やがて諦めたように微笑んで言った。

「そう……なら、そうしなさい。でも……一つだけ約束してくれる？」

「なんだよ？」

「もしもこれからあなたが道に迷うことがあっても、あなたはあなたのために生きなさい。あの子のためには生きないで。それはあの子を一番裏切る行為よ」

さっきと言ってることが真逆じゃないか……。

彼女はよく分からないことを口にすると、ぽかんとしている但馬の頭を、そのゴリラみたいにでかい手で、くしゃくしゃと撫で回した。それはいい年した男がやられるのは小っ恥ずかしいことだったけれど、不思議と逆らう気にはなれず、但馬はじっとしてそれを受け入れていた。

歯を食いしばっていないと泣きそうだった。

本当に何でなんだろう。

＊＊＊

翌朝、但馬はアナスタシアをシモンの家に預けると、まだ暗いうちに街を出た。

前日、夜遅くに彼女を連れてやってきた但馬を、シモンの両親は何も言わずに迎え入れてくれた。まだ息子が死んで間もなく、迷惑をかけるのは申し訳なかったが、他に頼れるあてもなく、その厚意に甘えるしかなかった。

彼らはアナスタシアを本当の娘のように可愛がった。もしもシモンが生きていたら、実際にそうなっていたはずなのだが、両親もそれを知っていたのだろうか……？

早朝、まだ家が寝静まっている中で一人起きだしてきた但馬は、そんなことを考えながら店の方へとやってくると、そこにあった商品を一つ一つ見て回った。

「何をしてるんだ？」

やがて、一つの商品を手にとって、その使い勝手を確かめていたら、いつのまにやら背後にシモンの父親が立っていた。

但馬はそれには答えずに、手にしたものを差し出すと、

「これ、売ってもらえませんか」

そして但馬は一振りの斧を買い取ると、それを引きずるようにしながら、まだ暗いうちから街の外へと足を運んだ。

「先生、どちらへ行かれるんですか？」

そのままローデポリスの城門をくぐろうとすると、そこにはブリジットとエリオスが立っており、

「追っ手がつくって言いましたよね？」

彼女は少し困った表情でそう言った。

「……別に、この国から出ようってんじゃないんだ」

「それじゃあ、どちらまで？」

但馬はポリポリと頭を引っ掻くと、そろそろ白み始めた空に背を向け、まだ真っ暗な空を指差して言った。

「西へ……」

目的地はヴィクトリア峰。シモン最期の地である。

一章　15・そういうの、もういいから

ローデポリスから西へ200キロ。ヴィクトリア峰の前線基地への道のりは、数十年に及ぶメディアとの戦争の結果、軍用路が整備されており、およそ20キロ間隔で駅逓（人馬の宿営地）が置かれている。この国ではこの駅逓に常駐する早馬と、狼煙とラッパを組み合わせた情報通信が運用されており、数時間内に首都と前線の情報伝達が可能であるそうだ。

偵察部隊であるブリジットの小隊は、欠員が出ると前線勤務を解かれて、報告任務を負い、即座に首都へ向け出発。昼夜を問わず馬を替えては駆け続け、なんと一日で200キロを走破したらしい。

もちろん、これは緊急時だったからで、普段は人馬の疲労を考慮して三日はかかるそうだが……。

「先生、馬鹿なんですか？　あそこは一人で気軽に行けるような場所じゃありませんよ」

但馬が何も考えずに漠然と200キロの距離を歩いていこうとしていたことを知ると、

ブリジットはいかにそれが馬鹿げているか、幼稚園児にでも言って聞かせるかのように教えてくれた。

「うっせえな。知らなかったんだよ」

少なくとも軍隊は歩いていったわけだし、初めてブリジットたちと出会ったあの海岸で、確か彼女はここは前線に近いと言っていた。だから遠くてもせいぜい4~50キロくらいだと思っていたのだが、実際にはその四倍以上もあったらしい。

馬に乗って、今ちょうど、その海岸付近を通りすぎようとしていた。

街からはおよそ10キロくらいの場所で、周りは森と砂浜しかない。ここをもう少し行くと最初の駅逓があり、そこは街から一番近い軍事施設だから警戒が強く、もしも何も考えずに斧なんか担いで歩いてきたら、とっ捕まるのが落ちだったろう。

夜明け前に街を出ようとして、城門で彼女たちに見つかって、ヴィクトリア峰まで行きたいと言ったら、ちょっとした押し問答の末に、彼らが道案内してくれることになった。

往復で少なくとも一週間近くかかるというのに、軍人の彼らが但馬のわがままに付き合ってくれるのは、もはや監視していることを隠すつもりもないということだろうか。

まあ、それならそれで、こちらも気兼ねしないで済むので、黙ってその厚意に甘えておこう。

但馬は馬に乗れないので、ブリジットの後ろに乗せてもらっているのだが、普通なら意識しそうなのに、そんなことを気にしている余裕はなかった。何しろとにかくケツが痛いのだ。結構な速度で走るから、気を抜くとすぐに振り落とされそうになる。因みに、エリオスの後ろじゃないのは、単純に重量の問題である。

そんな具合に馬を乗り換えながら夜まで走り通して一日目の宿営地に到着し、宿舎で但馬がパンパンになった足腰をほぐしていると、ブリジットが生前のシモンのことを色々と話してくれた。

「実は、先生に出会う前の彼は正規兵になるか迷ってたようで、私が相談に乗っていたんですよ」

シモンが軍人に？　似合わないと思ったが、次の一言で合点がいった。

「なにしろ高給取りですからね。今にして思えば、それも幼なじみの彼女のことを思ってのことだったんでしょうけど……彼は意外と優秀でしたから」

「そうなのか？」

「それはもう。弓も馬もやれて、何より工作が得意だったので、士官も夢じゃなかったと思いますよ。だから私から上に推薦しましょうか？　って一度尋ねたことがあるんですが、まだちょっと踏ん切りが付かない感じで、色々迷っていたようです」

そりゃそうだろう。そうして軍人になったところで、いきなり金が転がり込んでくるわけでもないし、仮にアナスタシアを解放出来たとしても、シモンがずっと戦場にいるのでは意味がない。多分、それだと彼女が断ったんじゃないか。

「先生と出会うちょっと前は、ずっとそんな感じだったんです……でも、紙製作を始めた頃にはもう、そんなことは言わなくなってました。だから、方針転換したんだろうと思ってたんですが……実は、今回の遠征でまた話を持ちかけられまして」

「え……？」

今度こそどういう風の吹き回しだろうか？　但馬が首を捻っていると、

「先生と出会って、ついに夢が実現しそうになったら、本当は自分がどうしたかったのか、よくわからなくなったんだそうです。もちろん、本気で幼なじみを助けたいと思ってたようですが、現実には金貨一千枚なんて、稼ぐことはまず不可能ですからね」

「まあ、そうかもな……」

「お金を稼いできてくれる先生にくっついて、自分はそれを受け取るだけでいいのだろうか。そんなの、先生の友達と呼べるのだろうかと……そう考えたら、今まで自分がやってきたことが、全て無責任でいい加減に思えてきたそうです」

アナスタシアを助けるというのも、お題目だけで具体性は全く無かった。あれやこれやと色々手を出したが、そのどれもが本当に彼女の助けになるとは、心の底からは信じきれていなかった。父親の言っていた通りなのだ。

「結局、格好だけなんじゃないかと思ったら、自分は本当は一体何がしたかったのか、何が出来るんだろうかと、色々考えちゃったそうです。それで、今回の一件が片付いたら、改めて国のために働けないかなって思ったようで……自分の意志で……」

『なあ先生。あんた、一体何者なんだよ？』

いつかシモンに言われたことがある。それがそっくりそのまま自分自身に突き刺さったのだろう。それが黙って戦場へ行き、そして奇襲部隊の参加へと繋がったわけか……。

但馬はため息を吐いた。

「もっと気楽に付き合ってくれればいいのに。それじゃ結局、俺が追い詰めちゃったみたいなもんじゃないか……」

「そんなわけないだろう」

但馬が弱気なことを言ったら、黙って話を聞いていたエリオスが、重低音を響かせて厳かに言った。

「男が誰かのために戦いたいと思うのは、何も不思議なことではないだろう。特に若いうちは染まりやすいからな。格好つけたっていいだろう。勘違いしたっていいだろう。それが男ってものだろう」

いつも寡黙な人から、思いのほか情熱的な言葉が出てきて返事に困った。確かにそうだ。そうだろうけど……それで死んじまったら元も子もないだろう……とはいえ、誰も責めることは出来ないのだ。

結局その後、話は続かず、誰も一言も発することなく夜は過ぎていった。

＊＊＊

移動に丸二日を要し、三日目の朝に現地に着いた。

岬にあるというから小高い丘を想像していたが、ヴィクトリア峰は天険とも呼べるくらい、かなり大きな山だった。

話に聞いていた通り、海側の斜面は木が少なくて、山の中腹から上はずっと草地の高原が山頂まで続いていた。他方、反対側は周辺の山と尾根続きになっており、うねるような小高い丘の上に、緑の深い大森林が広がっていた。

高原には何か建物が建っており、恐らくあれがリディア軍の前線基地なのだろう。そのリディア軍は山の向こう側に布陣していて見えなかったが、両軍合わせて一万近い人間の熱気のようなものが、こちら側まで伝わってきた。

「シモンが死んだ場所は？　連れてってくれないか」

ブリジットたちは危険だからやめたほうがいいと言ったが、但馬が頑(かたく)なに要求すると、すぐに折れて案内してくれた。教えてくれなくても森沿いに進軍していたと聞いているし、勝手に行くつもりだったから、多分、空気を読んだのだろう。

巻き込(こ)んでしまって悪いと思いつつ、馬の手綱(たづな)を引きながら三時間ほど森伝いに山を登っていくと、話に聞いていた通りの竹林の先の、少し開けた場所に出た。

いや、元々は広場ではなかったのだろう。焼け焦(こ)げた地面と、不自然に折れ曲がった草木が、そこで激しい戦闘が繰(く)り広げられたことを物語っていた。恐らく、部隊はここでエルフに襲撃されたのだ。

その魔法の威力(いりょく)は事件から一週間近く経(た)った今でも窺(うかが)い知れるほどだった。焼け焦げた地面は爆撃(ばくげき)でもされたかのように抉(えぐ)れており、あちらこちらにドラゴンが引っ掻いたような裂(さ)け目(め)が見えた。こんなものを食(く)らったら、ひとたまりもないだろう。

南無阿弥陀仏(なむあみだぶつ)……但馬は手を合わせて唱えた。別に仏教徒でもないのだが、意識することなく自然と口をついて出てくる。日本人だからだろうか？　見ればブリジットやエリオスは、それぞれ自分たちのやり方で十字を切っていた。

但馬は彼らが祈りを終えるのを待ってから、

「それじゃ、行こうか……」

「どこへ行くんですか？」

彼は持ってきた斧を掲げると、森の中へとズカズカ入っていった。

ここまで絶対森に入らないよう警戒しながら進んできたというのに、自殺でもするつもりだろうか……？　驚いたブリジットたちがすぐに後を追いかけるが、彼は全くの無警戒でずんずん進んでいく。そして手頃な木を見つけると、持ってきた斧でいきなり、
ガツン！　ガツン！

……と、盛大に音を立てながら、木を切るというか、削り始めた。

「先生！　一体、なんのつもりですか？　ここは危険です。エルフに見つかる前に、早く来た道を戻りましょう！」

「……大丈夫、まだ誰も近づいてきちゃいないよ。俺には分かるんだ」

ホンのちょっと斧を振るっただけなのに、既に額からは滝のように汗が流れ出ていた。

但馬は腕まくりして汗を拭うと、またヘイヘイホーと木を切り続けた。

ブリジットは彼のそんな無謀な行動に、最初は少しイライラしていたようだが、やがて諦めたようにため息を吐くと、

「一体、それで何するつもりなんです？」

「別に。ただ単にケツを拭く紙が欲しかったんだ」

「はあ？」

「このクソッタレな森の木に、糞便の始末をさせてやるんだ」

　但馬はそう言い捨てると、より一層力を込めて斧を振るい始めた。

　まるで野球でもするかのような無茶苦茶なフォームを見るに見かねて、やがてエリオスが近づいてくると、

「……貸せ」

　彼は但馬から斧を取り上げると、コーン……コーン……と、よく見えるように木を樵り始めた。

「こう……振り回すんじゃなくて、斜めに振り下ろすんだ。重量があるから、力を入れなくても切れる。それより正確に同じ場所を狙うよう心がけろ……やってみろ」

「……はい」

　エリオスにやり方を教わった但馬は、今度は拙いながらも、コーン……コーン……と、いい音を響かせて木を樵り始めた。非力で、へっぴり腰で、いつまでかかるか気が遠くなりそうだったが、二人とも何も言わずに、黙って但馬のことを見守ってくれた。

ようやく木が倒れそうなくらいまで切り込みが出来ると、エリオスが再度但馬に替わって斧を振るい、最後は一緒になって蹴り倒した。そして森の外の広場まで、三人で丸太を引き摺ってくると、

「用事はこれだけだったんですか……？」

と、ブリジットが聞いてきたので、

「まあね」

と但馬は返した。

もちろん、そんなわけがない。だが、これ以上は迷惑をかけたくはない……彼は黙って丸太を下ろすと、待たせていた馬を二人が呼びに行っている間に、ふと思い出したように、

「おっと、忘れ物忘れ物……」

と、わざとらしく口走ってから、元来た道を戻り始めた。

「先生！　一人じゃ危険ですってばっ！」

「すぐ戻るよ！　さっきも平気だったろ？」

彼は心配する声を無視してまた森へ入ると、ブリジットたちからは見えない位置まで来てから、右のコメカミをポンと叩いた。目の前に半透明のステータス画面とミニマップが映る。

レーダーを兼ねているマップの上には、生体反応を示す赤い点がいくつか点滅していて、但馬とブリジットとエリオスの三つの他に、第四の点がマップの中央へゆっくりと近づいてくるのが見えていた。

本当は、さっきから気づいていたのだ。

赤い光点が、木こりの音を気にするかのように、ゆっくりゆっくりと近づいてきているのを……もしかしたら木こりの最中に鉢合わせするかも知れないと思っていたが、どうやらこちらから出向いた方が早いらしい。

但馬は木を切り倒した場所を通り過ぎると、更に奥へ、光点が指し示す方へと警戒しながら歩いていった。

ここから先は出たとこ勝負だ……だが、恐怖は全く感じなかった。エルフでも亜人でも魔物でもなんでも来い……彼はマップを見ながらそう思った。しかし、

「ちっ……」

彼は舌打ちすると、背後を振り返った。二つの赤い点が近づいてきたからだ。きっと、いつまで経っても戻ってこない但馬を追ってきたブリジットたちだろう。

どうする？　一旦戻るか……？

彼は逡巡したが、しかし、その必要は無くなった。

「ＯａａｏＡＡＡｏｏｏｏｏｏｏｏｏＡＡＡＡｏｏｏａａａａａｏａｏａ」

突如、鼓膜を破りそうなほど耳障りな奇声が聞こえてきたと思ったら、周辺の木々が風もないのにざわめきだした。

それはまるで映画の中の恐竜の鳴き声みたいだった。鳥が一斉に羽ばたき空へと上がっていったかと思えば、小動物が恐れをなすかのように慌てふためき逃げ出していく。こんなにもこの森には動物が住んでいたのかと唖然とする。

「先生っ!!　どこですかっ!?」

おそらく同じ声を聞いたであろう、背後からブリジットたちの気配が近づいてきた。他方、前方の光点も、今までのスピードが嘘だったかのように、まるで飛ぶような速さでこちらに近づいてくる。ブリジットたちは巻き込みたくなかったのだが……もはや、ここで迎え撃つより他ないだろう。

やがて、その光点がマップのど真ん中に到達した時……。

「なんだ……あれ……」

但馬の目の前に、明らかに人間とは違う、不気味な二足歩行の生物が現れた。

『xwacwt.Hermaphrodite.Mutant, 128, 30, Age.537, Alv.1, HP.1928, MP.312,......』

顔色は異様に青く、紫がかっていて、頭髪は真っ白。耳が悪魔のように尖っていて、切れ長の大きな目と、スラリと鼻筋の通った顔は、ものさしで計ったかのように左右均等で、まるでＣＧでも見ているかのような気分にさせられた。

「逬倶椏れセろカ」

　そんな不気味な生物が、まったく聞き取ることが不可能な得体の知れない発音で、何かをぶつぶつ唱えたかと思ったら、突然……空間がグニャリと歪んだ。

「あぶないっ!!」

　空間の歪みをぼーっと見ていたら、背後からブリジットが飛んできて、ドカッと但馬のことを蹴り倒した。

　彼が今まさに立っていた空間を、レーザーのようでいてそうではない、何とも形容のしがたい光線が通り過ぎていって……それは木にぶつかって炸裂した。

　ズバッ！

　耳をつんざく音と共に破裂した木の破片が飛び散り、但馬の頬を掠め飛んでいく。ちくっと痛む頬っぺたに手をやったら、血がべっとりと付着していた。

「先生！　逃げてください、エルフです!!」

　焦燥感にも似たようなブリジットの悲鳴が上がる。

　但馬はそんな彼女の悲鳴を聞きながら、呆然と立ち竦んだまま動けなかった。

（……エルフ？　これがエルフだって……？？　バカも休み休み言え。こんなのがエルフであってたまるか）

それはエルフというよりも、どう贔屓目に見ても、捕獲された宇宙人にしか見えなかった。もしくは悪魔っぽい何かだ。少なくとも人間ではない。

但馬が何を言って良いのかわからないといった表情で佇んでいると、ズザザザザザ……っと、背後から誰かが猛スピードで駆けてくる音と共に、

「ぬおおおぉぉぉおおおぉぉ～～～～～！！！！！」

と、凄まじい雄叫びをあげながら、巨漢のエリオスが但馬を追い越して突進していった……但馬が持ってきた斧を上段に構えて、目にも留まらぬ速さでそれを振り下ろす。

すると、目の前の宇宙人の体から、急にゆらゆらと緑色のオーラが立ち込めて、

ドカンッ!!

巨漢の突進を、まるで赤子の手でもひねるかのような気安さで、それは簡単に受け止めてしまった。

そして小石でも蹴るかのような緩慢な動きで蹴りを入れると、エリオスは嘘みたいにグルグルと錐揉みしながら飛んでいき……但馬の頭上を飛び越えて背後の木にぶつかって、最後は地面に背中から落ちて悶絶するのだった。

クハァ……と、あえぐような息を吐きながら、苦しげな表情のエリオスが、但馬に向かって手を伸ばす。

「……逃げろ……早く、逃げるんだ……」

そんな悲痛なうめき声が、但馬の耳に届いたかと思えば、

「クラウ・ソラス！」

今度はブリジットが二人をかばうように、目の前に立ちふさがり、それと対峙した。

彼女が背中の大剣を引き抜くと、さっき見たのと同じような緑色のオーラを振りまきながら、ブーンという振動音が聞こえてきた。剣の周囲が蜃気楼のように歪んで見える。初めは自分が何を見せられているのかさっぱりわからなかった。その圧倒的な熱量は、まるでSF映画のライトセイバーのようだった。

なんでこんなものが、中世みたいなこの世界にあるんだ……？

但馬が唖然としていると、彼女は小さく息を吐いてから、まるで飛ぶように一気に相手との距離を詰めて、その光る剣を相手に振り下ろした。

彼女の剣はエリオスとは違って、その生物の発する緑色のオーラを面白いように切り裂いた。剣先が相手の肌に達すると、ズバッと青い色をした血しぶきを上げて、それはキィキィと気持ち悪い悲鳴を立てて後退った。

すかさず、今度はブリジットの体が緑のオーラに包まれる……。

「盟約に従い真理を照らせ……トゥアハー・デ・ダナン‼」

上段に構える彼女の剣が真っ白く輝き、その熱によって周囲の景色が揺れ動く。彼女が剣を振り下ろすや否や、それは莫大な光を放ってあたり一面を真っ白く染めた。

溢れる光で目が眩んで何も見えない。

彼女の放った剣閃は、ものすごい熱量で森の木々をなぎ倒しながら突き進んでいき、やがてそれは、あの奇妙な生物に到達したかと思うと、その瞬間、
ゴオオオォォォーーーーー!!!!

と、轟音を響かせ、森の中に巨大な火炎が吹き荒れた。

但馬が地に伏せ、頬を焼くような灼熱に耐えながら、目を細めてその成り行きを見守っていると、

「そんな……!」

突然、ブリジットの絶望するような悲鳴が聞こえ、バキィッ‼　っという鈍い音と共に、彼女の体が吹き飛んだ。

ドサッ……ドサッ……ドサッ……と音を立て、彼女の体が何度もバウンドしながら、但馬の横を転がっていく。

やがて彼女の体はエリオスと同じ木にぶつかって止まった。

満身創痍(まんしんそうい)。体のあちこちから血を垂れ流しながら、ヒール魔法(まほう)をかける余裕もない彼女は、しかし血反吐(ちへど)を吐(は)きながらも、なおも剣を杖(つえ)代わりにして立ち上がると、

「逃げ……て……」

と呟(つぶや)いて、また但馬の前に立ちふさがろうとするのだった。

なんでそこまでするのだろうか。逃げるべきは自分の方だろうに……。

「……ぷはぁっ！」

但馬はいつの間にか止めてしまっていた呼吸を再開すると……まだフラフラと覚束(おぼつか)ない足取りの彼女の肩にポンと手を乗せ、

「いや、そういうの、もういいから」

と言って、グイっと後ろに引っ張った。

「なっ⁉」

もはやブリジットは、但馬の力にさえ抵抗(ていこう)出来ず、簡単に後ろにひっくり返った。

ゴロゴロとでんぐり返った彼女が、目をパチクリさせて見上げている。

普段の彼女だったら絶対にそんなことにはならなかったろうに、ほんの数合、奴(やつ)と打ち合っただけでこれだ……この世界の住人がエルフを恐れる理由がよく分かった。

但馬の背後から、非難がましい声が上がる。

「何やってんですか！　遊びじゃないんです！　逃げてください、死にますよっ!!」

ブリジットは尚もごちゃごちゃ言っていたが、彼はもう聞く耳を持たなかった。

本当に逃げるしか手がないのなら、彼女たちを置いて逃げたところで、どうせ死ぬだろう。というか、いい加減ここまで来たら馬鹿でも分かる。

恐らく勇者も、聖女も、但馬と同じく異世界から迷い込んだ人間だ。

ならば驚くべき魔法を駆使してエルフと渡り合ったという彼らと、自分の魔法にどんな違いがあるだろうか……。

但馬はそう確信すると、その憎らしい顔をした青い二足歩行生物の前に、無防備に近寄っていった。

「良かったよ……ちっぱいの美少女とかだったら後味が悪いと思ってたけど。こんな気持ち悪いのがエルフってんなら、心置きなくやれるってもんだ……」

「竪譎スュサ蛸悍縲縲ゅ縺ェ後謌代ケ襍ヲ縺縺帙■螯」

いつか国王が、エルフとは会話にならないと言っていたのを思い出す。

「ホント、何言ってっか分かんねえや……」

但馬が苦笑すると、それは激高したかのように叫び、飛び上がって但馬の方へと向かってきた。多分、その腕で一薙(ひとな)ぎでもされたら、エリオスのように吹き飛ばされてしまうだろう。

しかし……。

「高天原(たかまがはら)、豊葦原(とよあしはら)、底根國(そこつねのくに)……」

そいつの攻撃(こうげき)は、但馬を取り巻く緑色のオーラに阻(はば)まれて、今はもう近づくことさえ出来なかった。それが信じられないのか、それは何度も何度も彼を傷つけようと躍起(やっき)になったが、ことごとくが失敗に終わった。

但馬はそれを冷静に見ながら、ゆっくりと、彼にしか見えない半透明のスクリーンに映し出された呪文(じゅもん)を読み上げていった。

「三界を統(す)べし神なる神より産まれし御子神(みこがみ)よ……」

確かさっきステータスを確認(かくにん)した時、五百年とか生きていたはずだ。これほどまで自分の攻撃に手応えが無いのは、その生物にとっては生まれて初めての経験だったに違いない。それはそれは驚いたことだろう……。

「其(そ)は古(いにしえ)より来たれり、万象(ばんしょう)を焼き尽(つ)くす業火(ごうか)なれり……」

しかし、驚いている場合ではないのだ。さっさと逃げるべきはお前の方だ。今や、但馬を包んでいたオーラはあたり一面をすっかりと覆(おお)い尽くし、ついにはそこら中に生えていた木々までがギラギラと発光し始めた。

その光は但馬を中心に、森の隅々まで行き渡り、遠い川の両岸で対峙するリディア・メディア両軍の下にも届いていたという。

但馬のオーラに呼応するように、今、森全体が真っ白く光り輝いていた。

「天を穿て、地を焦がせ、灰塵と帰せ、塵芥と化せ!!」

エルフと呼ばれたその生き物は、突如苦しみ悶えはじめた。酸欠の鯉みたいに口をパクパクさせたかと思うと、ついには恐怖に慄き、但馬に背を向けて走りだした。

しかし、それは数歩進んだだけで己の末期を悟るのだった。

恐らく、この森の中に逃げ場はない。

見渡す限り一面の光が、そこには満ち満ちていたのだから。

そして呪文が完成した。

「なぎ払え迦具土っっ！！！」

音もなく、静寂だった。

いや、あまりにも膨大な情報量に頭が追いついていかなかったのだろう。

それはもはや炎ではなく、ただの青白い光だった。

一瞬にして全てを焼失させ、灰の一粒すら残さない。

その灼熱の炎は、恐らく太陽のフレアと同等か、それ以上のものだった。

エリオスは自分の死を覚悟(かくご)した……しかし、これだけの炎に包まれているというのに、何故(なぜ)か自分の周りだけは死を免(まぬが)れていた。熱いとさえ感じない。彼は信じられなかった。ここは天国でも地獄(じごく)でもなく、まだ現実なのだ。

一面の白の中で、但馬のシルエットだけが黒く浮(う)かび上がっていた。彼が灼熱の炎に壁(かべ)を作り、二人をその猛烈(もうれつ)な炎から守っていたのだ。ブリジットはその背中を見て思った。ああ、まるで本物の勇者様みたいだ……と。

彼の言葉を思い出す。

『俺の名前は但馬波留(はる)。タージマハールじゃないよ？』

いや、この人こそ、本物の勇者様なのだ。

気がつけば、二人は但馬に向かって跪(ひざまず)いていた。自分よりも高貴なものに対する最高の礼節を持って、自然と頭を垂れていた。あの日、あの海岸で自分たちが見つけてしまったのは、きっと神様か何かだったのだ。

あるのはただ、光、光、光、光、圧倒的なまでに白い光。他に何もない。

そしてその光が収束すると、辺りには何もなくなっており、足元にはむき出しの地面と石だけが転がっていた。半径２キロ円くらいが根こそぎ消失し。その周りでは、今、激しい山火事が起きていた。

鳥が飛び立ち、あらゆる生物が悲鳴を上げ、何かが森の中で蠢(うごめ)いて、一斉に逃げる気配がした。

但馬が振(ふ)り返ると、二人がうずくまっているのが見えた。彼(かれ)はそれが臣下の礼などとは思いも及ばず、

「やべえ……バレる前に、さっさとずらかろうぜ」

ダラダラと冷(ひ)や汗を垂らしながらそう呟くと、二人の返事も待たずにすたこらさっさと逃げ出した。

その姿が全く悪びれてもなく、格好良くもなく、いつもの但馬そのものだったから、二人は拍子抜(ひょうしぬ)けしたかのように、その場に腰(こし)を抜かしてへタり込んでしまった。

なのに彼は振り返りもせず、薄情(はくじょう)にもどんどん遠ざかっていくのである。

今すぐ追い駆けたいのだが、取り残された二人は足腰が笑ってしまって、まったく役に立たなかった。

その日、地図から一つの森が消えた。それはリディアに勝利をもたらす吉報(きっぽう)となり、この国の将来を強引(ごういん)に変えてしまうことになるのだが……但馬にはそんなことなど知ったこっちゃなく、彼は今、逃げるのに必死だった。

一章 16・新しい生活が、今、始まったのだ

それから、また一月の時が流れた。

但馬はインペリアルタワーの前に移された慰霊碑の前で手を合わせていた。

「報告が遅れたがシモン、元気か？　って元気なわけないか……俺の方は、まあ概ね元気だったかな。クソ忙しかったけどな。そうそう、あの忌々しい森なんだけど、こないだ行って燃やしてきたよ。今はその跡地にまたエルフがやってこないよう、竹を植えて防いでいるんだって。ざまあ見ろだな。今度暇なときにでも天国から見に行けよ、きっとすっきりするぜ」

献花台の上には、まだ色とりどりの花束が置かれており、時折、但馬の他にも祈りを捧げる人がやってきたが、その周辺以外、街はすっかり元通りといった印象だった。

十年以上もの長きに渡り膠着状態を続けたヴィクトリア峰での戦いは、突如起こった謎の発光現象と、それに伴う山火事によって急転した。

森林が消失したことにより、陣地の側面ががら空きとなったメディア軍は、戦線の後退

を余儀なくされた。

逆に、作戦の失敗のせいで意気消沈していたリディア軍は、このチャンスを逃すまいと破竹の勢いで進軍し、燃え残った木々をなぎ倒して、そこに前線を進めることに成功した。

数の上で勝り、平地での戦闘には強いリディア軍が、こうして西方への進出を盤石のものとすると、勝敗の趨勢は大きく傾き、五十年も続いた戦争も遂に終わりを模索するようになる。

その話はまた別の機会に譲るが、この青天の霹靂のような知らせは、丸太をのんびり馬で引きながら街へ向かっていた但馬たちを、あっという間に飛び越えて首都に伝わり、彼らが三日かけてようやく街に帰ってきた時には、街中が祝賀ムードで賑わっていて面食らう羽目になった。

何しろ、彼らが出ていった時はお通夜のようだったのだ。

どうしてこんなことになってるの？　と道行く人に尋ねて理由を知った但馬は、自分がやらかしてしまったことにダラダラと冷や汗を垂れ流し、絶対内緒にしてねと同行の二人に口を酸っぱくしてお願いしてから、逃げるようにシモンの家へアナスタシアを迎えに行くのであった。

「アーニャちゃんは今でも水車小屋にいるよ。って言っても、もう売春婦じゃなくて、通いの医者としてなんだけどな。やっぱりああいう場所だから、性病とかの面倒を見られる人が必要なんだって、ジュリアさんに頼まれたら断れないからな」

尤も、それはアナスタシアにとっても必要なことだった。

いきなり不幸から解放された彼女は、突然与えられた自由に何をしていいのか戸惑い、西方から但馬が帰ってきた日にはもう、少し精神に支障を来していた。

皮肉にも、優しくされることに慣れていない彼女にとって、シモンの家は却って安心できない場所になってしまっていたようだ。

「ごめん。そのせいで、また少しおまえのご両親を悲しませることになっちまったんだけど……ご両親にはいつもお世話になってるよ。仕事では親父さんに、生活面ではお袋さんに色々と良くしてもらって、もうホント頭が上がらないわ。すまんな、迷惑かけちまって」

工場建設を再開すると、シモンの父親は何も言わずに黙って仕事に復帰してくれた。きっと心の中では様々な葛藤を抱えていただろうに、弱音など一切吐かずになんでもやってくれた。今では但馬の会社のチーフエンジニアみたいなポジションにいる。

結局、但馬は紙と石鹸の二つの工場を建てることにした。どうせ両方とも動力を使うので、工場は隣接して建てられ、在庫や材料を貯蔵する倉庫も必要であったことから、かなりの敷地面積を誇る巨大な施設となっている。

しかし工場といっても、オートメーションとかラインとか、そういう概念のない世界だから、稼働させるまでは苦労した。但馬自身も工場のことは殆ど分からず、雇った従業員たちみんなで手探りで頑張るしかなかった。まあ、それはそれで楽しかったのであるが……。

「社長！」

呼ばれて振り返ると、エリオスが立っていた。どうやらそろそろ時間のようだ。

「……そうそう、エリオスさんが軍隊を辞めて、うちの会社に入ってきたんだよ。生きてたら、おまえと立場が逆転してたな。ちょっと見てみたかったけど」

街に帰り、シモンの父親たちと会社設立に向けて動き始めるとすぐに、ある日エリオスがやってきて自分を雇ってくれと言いだした。軍隊はどうするんだと聞いたら、元々、彼は軍には傭兵として参加していただけで、いつでも辞められたのだそうな。

実は彼の正体は、勇者の親衛隊の中でも、特に身辺警護を担当する、護衛主任みたいな立場だったらしい。

その経験を買われて、こっちの国に来てからもブリジットの護衛として雇われていたそうであるが……但馬が森を焼き払ったのを見て以来、彼は主人の鞍替えを決心してしまったらしく、是非自分を雇ってくれと頭を下げられてしまった。

そんなこと言われても、今の自分はせいぜい町工場の社長でしかないので困ってしまうのだが……エリオスは命の恩人でもあるし、まあ、今後マフィアとかがショバ代をせびりに来ることもあるかも知れないから、荒事担当として雇い入れることにした。

「……おまえと作るはずだった会社だけど、いよいよ起ち上げることになったんだ。今日はその報告に来た。ここからも見えるだろう？　あの中央広場に面した通り沿いに、小さなビルを借りてさ、そこを事務所にしたんだ。近いからよ、これからもちょくちょく顔を見せに来るから、そしたらいつかみたいにまた酒でも飲もうぜ……いや、俺もそこそこ強くなったんだぜ？　今ならスコッチ三杯くらいまでならまだ記憶がある。本当さ」

但馬は膝についた砂を、パンパンと払って立ち上がると、

「じゃあなシモン。また来るからよ」

そう言い残して、彼は慰霊碑の前から離れた。

中央広場はいつものように、休日でもないのに人々が集まっていて賑やかだった。そんな中を但馬が通り過ぎると、今ではすっかり馴染みとなった彼に、あちこちの露店や通行人から声がかかった。にこやかに手を振り返しながら、公園を突っ切って大通りまで歩く。すると、小さなビルの前に数十人の人が立ち並んでおり、彼がやってくると一斉に振り返った。

シモンの父親がいて、農場のオジサンがいて、銀行の支配人や担当者の男、それから但馬が新たに雇った三十人の従業員たち。彼ら一人ひとりが馬鹿丁寧に挨拶してくる中、

「それじゃ、そろそろ行きますか」

但馬はそう宣言して、待機していた左官屋に合図した。

左官屋が鉄のプレートで出来た看板を、カーンカーンと叩いていく。

『S&H兄弟商会』

そして、玉葱とクラリオンの意匠が施された、作りたてのまだ金ピカの看板が掲げられると、集まった人々からパチパチと自然に拍手が沸き起こった。

それが広場の露店に届くと、彼らも一緒になってパチパチと手をたたき、

パチパチパチパチパチパチパチパチ……。

釣られて通りすがりの人までもが、みんな一斉に手を叩き始めるものだから、中央公園は拍手と歓声の洪水に見舞われて、まるでコンサート会場みたいになった。

こうして、但馬波留は異世界の地に、その足跡を残した。

それは異邦人だった彼がこの国に受け入れられた、最初の記念日となった。

見たことも聞いたこともない異世界なんかに、なんの前触れも無くいきなり飛ばされて、

右も左も分からない中、どうやって生きていけば良いのかも分からずに、足掻いて藻掻い

S & H
BROTHERS TRADING COMPANY

て、ようやくたどり着いた場所だった。

そう思うと自然と笑みがこぼれてきて、但馬はウキウキとした気分になってきた。

周りのみんなもそうなんだろうか。同じようにウキウキした顔をしながら、口々に喜びの声を上げていた。

みんなの心が一つになって、互いに肩を組み合って笑い転げた。

但馬はここで生きていく。

新しい生活が、今、始まったのだ。

＊＊＊

事務所開きは初日から大忙しで、引っ越しの片づけや、明日から始まる工場の稼働についての打ち合わせやらで、気がつけばあっという間に時間が過ぎて、空は暗くなり始めていた。

社長はもういいからと、従業員たちに追い出されるように事務所を出ると、但馬は急ぎ足で城門を出て水車小屋へと向かった。もちろん女を買いに行くわけではない。アナスタシアを迎えに行くためである。

穀倉地帯を通り過ぎようとすると、今や会社の共同出資者であるオジサンが農作業をしていて、但馬に手を振ってきた。

　但馬も手を振り返して、お疲れ様ですと大声で言うと、トウモロコシの陰に隠れて見えないけれども、色んな所からお疲れ様ですと返ってきた。

　すっかり顔なじみになってしまった物乞いに舌打ちされながらスラムに入り、阿片窟の住人に怪しげなクスリを勧められるのを躱わしながら水車小屋までやってくると、笑顔のジュリアと子供たちに出迎えられた。

「あら～……社長さん、いらっしゃ～い。いつもお世話になってるわ～ん」

「あ、しゃちょー。ま◯こ買ってってよ」「しゃちょー買ってー！　ま◯こ買ってー！」

　買わん買わんと言いながら、飛びついてくる子供たちを引っ剥がして、ジュリアに軽く会釈する。

「ジュリアさんこんばんは。これ、新商品のサンプルね」

「あら綺麗～、色付きの石鹸ね～。うふふ、いつも悪いわね～。あの子なら、奥にいるわよ～」

　勝手知ったる他人の我が家。但馬は水車小屋の中へと入っていった。

　石鹸製造が始まってある程度余裕が出来てきた時、そういや元の世界だと泡風呂プレイとかあったよな……などと思い出し、ジュリアに石鹸を渡すようになった。

リビドーの赴くままにやりかたを熱く語っていたら、横で聞いてた売春婦にウケて、試しにやってみたら評判になったらしい。そんなこんながあって、今では水車小屋はガチのソープランドになりつつあった。

ところで前々から思っていたのだが、アナスタシアの魔法のお陰で抑制されてはいるが、それでもしょっちゅう性病をもらってくる患者が後を絶たないのは、ここがとんでもなく不衛生であるからではなかろうか？　そう思っての改善案であったが、結果としてそれはビンゴで、泡風呂をやりはじめてから患者の数がめっきり減ったようである。

街がウンコだらけなところからしても、公衆衛生を説いても誰も気にしてはくれないのだ。せめて自分の周りくらいは綺麗にしておきたいものである。

曲がりくねった廊下を進み、動力室に入ると、かろうじて西日が届いているだけの暗い室内で、アナスタシアが熱心に聖書の言葉を書き綴っていた。

彼女は但馬が入ってくるのに気づくと、上目遣いに見上げてから筆を置き、音もなくすっと立ち上がった。

「アーニャちゃん、帰ろう」

「……うん」

そして、今や膨大な枚数になった紙の束を紐で綴じると、トトトっと駆け寄ってきて、但馬の腕につかまり、

「アンナじゃなくて、アナスタシア……」

もはや口癖のようになったセリフを言うのであった。

身請けをしてから一ヶ月少々、初めて会った頃のような無感情な少女は鳴りを潜め、少し依存体質になっていた。彼女は但馬とジュリアの言うことだけを熱心に聞き、他人を、特に大人を怖がった。相変わらず眉間に深い皺が刻まれているのだが、それは困ったときのようなものではなく、不安そうなものへと変わっていた。

シモンの家を出て二人で暮らし始めた当初は、但馬のことさえ怖がっていた。手持ち無沙汰な時間が出来ると、色々と考えこんでしまうらしく、そうならないように仕事を与えて、暇を作らせないように心がけた。

そのうち徐々に慣れてきてくれたが、逆に但馬の顔色ばかり窺うようになり、この子は自分が居なくなったら、一体どうなってしまうのだろうかと不安になることもあった。

まあ、もっとも、どうせ元の世界に帰れるあてはなく……どうしようもないまま、時間だけが過ぎていた。

だから、彼女の傷が癒えるまでは、もう暫くこのままでもいいかなと、最近では思うよ

うになっていた。彼女と、仲間と、街の人々や国王なんかと一緒に、のんびり楽しく暮らしていくのも悪くないんじゃないかと……。

　アナスタシアに夕飯の支度を任せて、一緒にそれを食べて、代わりばんこに風呂に入って、風呂あがりの無防備な彼女を意識しないようにぐっと堪えながら、一階の工房で持ち帰った仕事を始めた。

　西から帰ってきてすぐ、シモンの家の近くに一軒家を借りた。元々、何かの店舗だったらしく、一階は工房に、二階を居住スペースにして暮らしている。

　最初はここを、職住一体の事務所兼住居にしようと思っていたのだが、人が出入りし過ぎたらアナスタシアが不安がるだろうから、個人の工房に留めておいた。彼女には一日も早く元気になって欲しいものである。

　その工房には、隅っこにトイレが設置してある。初めはどうにか水洗便所を再現できないかと頑張ったのだが、ついに諦めた。下水道がない限り、便と水が混ざるとかえって処分に困ると判明したからだ。

　そんなわけで残念ながら未だにＯＭＲを使っているのだが、代わりと言ってはなんであるが、例の丸太を使って便所紙を大量に作ってやった。五年分は優にあるので、拭きたい放題である。

ところで、その丸太にくっついてた枝を適当に挿し木したら根が張ったので、今では観葉植物として工房に置いてある。また大きく育ったら庭にでも植え替えて、こいつも便所紙にしてやろう。

　そんなことを考えながら、但馬はプチッと葉っぱを一枚取ると、工房の作業机に向かった。

　石鹸生産が軌道に乗り始めて、最近では差別化を図るために新商品の開発を行っていた。初めは飛ぶように売れて在庫を抱える間もなかったのだが、さすがに商品が行き渡ってくると消耗品とはいえ需要も落ち着いてきて、在庫がだぶつきつつあった。保存が効くから在庫を抱えたところで問題ないのであるが、大量雇用をしたばかりなので、出来れば生産量を落としたくない。

　といったわけで輸出も視野に入れて、贈答用の商品を開発しようと、最近は石鹸を固める鋳型に凝ってみたり、香料を混ぜてみたり、着色してみたりしていた。

　その際、酸化鉄や緑青を用いて着色してみたのだが、赤や黄色や青なんかは綺麗に出せるのだが、緑色が上手く作れない。銅の配合を色々と工夫してみたものの、石鹸の脂肪酸が原因なのか、アルカリ性であるのが原因なのか、どうしても青っぽくなってしまうのだ。

　金属粉じゃこれ以上駄目だろうと結論づけて、開発陣に食紅などを持ち寄ってもらうことを提案して今日は別れたのであるが……さきほど風呂に入ってるとき、ふと思い出したことがあった。

　クロマトグラフィー。ロシアの植物学者ミハイル・ツヴェットが開発した、物質を成分ごとに分離する方法のことをいうが……元々は彼が、植物学者らしく葉緑素を分離する方法を考えたことから、そう呼ばれるようになったらしい。

　葉緑素は御存知の通り、植物が光合成で光を吸収するのに必要な化学物質である。天然由来であるから、もちろん体に害はなく、葉緑素を混ぜた石鹸は元の世界でも薬用石鹸として売られていた。食品の添加物や着色料としても使えるし、また分子配列の違いによって色が変わり、意外に種類が豊富なので、これを活用しない手はないだろう。

　さて、そんな葉緑素の抽出方法であるが、至って簡単である。元が植物だから親水性が高くて水には溶けないが、アルコールにはよく溶けるので、乳鉢ですりつぶしたものをエタノールに溶かし、不純物をろ過すればいいのだ。

　エタノールは残念ながらまだ工業的に作り出せないが、酒を蒸留することで95％くらいまでなら濃縮できるので、スコッチを生産している酒造に頼んで作ってもらった。因みにこれを酒精という。スーフリやクライスが女の子をへべれけにしたあれだ。

　ちょっと試してみたくもあったが、但馬ごときじゃ一滴で記憶がぶっ飛ぶこと請け合いであるから、今は我慢しておいたほうがいいだろう。

コップに酒精を注ぎ、すりつぶした葉っぱをその中に投入し、クルクルとかき混ぜる。

すると徐々に緑色の粒子がアルコールに溶け出して、コップ一面に広がっていった。

それはやがて緑白色に発光したかと思うと、突然、ふわふわとコップの中から飛び出し、まるでホタルみたいにな蛍光色を発しながら空中をほわわーんと飛び回り、やがて霧散して消えるのであった。

そう、まるでその様子が酒の妖精みたいだから、これを酒精と呼ぶのであるが……。

「……って、そんなわけねえだろが」

もちろん嘘である。思わず一人ツッコミしてしまうくらい、唐突な出来事だった。

但馬は目の前で起きた現象に驚いていた。

なんだこれは？　なんでいきなり光りだした？　……何の成分が溶けてたんだ⁇

彼は観葉植物代わりにしていた木から、改めてもう一枚葉っぱを引っこ抜いてくると、再度乳鉢でそれをすりつぶし、また別のコップで酒精と一緒にかき混ぜた。

するとやはり、ふわりふわりとした蛍光色の物体がコップから飛び出してきて、空中を自由に飛び回ってから消えるのだった。

コンコン……。

その時、部屋のドアがノックされて、思わずビクリと肩が震えた。ドキドキしながら返事をすると、アナスタシアが入ってきて、

「……先生。ここで寝てもいい？」

と言う。

彼女は最近、但馬が工房で夜更かししていると、たまにこうしてやってきて、備え付けのソファで眠ることがあった。そうしないと落ち着かないらしく、もちろん、彼女に閉ざす扉なんて無いので、どうぞどうぞと許可していたのだが……。

その時、コップの中に残っていたらしき蛍光色の何かが、ボコっと音を立ててコップから飛び出し、ふわふわふわふわふわと空中を飛び回った。

「綺麗……」

それを見て、珍しく、アナスタシアが感嘆の声を漏らした。それは彼女の前まで飛んでいって、その瞳にキラキラと反射し、彼女の顔を緑色に照らしている。

但馬はゴクリとつばを飲み込んだ。

「アーニャちゃん。ダメだ。今すぐここから出よう」

「え？」

「今の見たろう？　さっきから、何か得体の知れないものが部屋の中を飛び回ってんだ。

くそっ！　もしかしたら放射性物質かも知れない……危険だからすぐに出るんだ！」

但馬は自分の考えに戦慄しながら、アナスタシアを部屋から出そうと、グイグイとその手を引っ張った。すると彼女は戸惑いながら、

「何って……先生。あれは魔素だよ？」

と言って、但馬の手から逃れるように、くるりと体を回転させた。

「マ……ナ……？」

それって何だったっけ……？

そうだ、確か国王と話していた時、大木にしか宿らない魔法に必要なものだと……。

それについ最近も見たことがあるような……。

エルフと戦った時、そいつが纏っていたオーラ。

ブリジットが剣を抜いた時、彼女を包み込んでいたオーラ。

自分が森を焼き払った時、森じゅうが真っ白く光り輝いたあの現象も……。

「あれが……マナ？」

だが、但馬はそれとは全く別のことを思い出していた。

それは彼がこの世界に来る直前……あの臨床試験の実験体の選抜試験の待合室で、担当者が絶対に他言無用だと言いながら、得意気に語ってみせたとある物質……。

「……先生にも、知らないことってあるんだね」

下から覗き込むように、アナスタシアがポツリと呟く。

見つめ返すと、彼女のそのシミひとつ無い美しい顔に、赤いニキビのような点が見えた。

それがまるで、英語の『NEW!』という文字のように見えて……。

ふらふらと伸びた指先が、彼女の頬っぺたに触れた。

『ACHIEVEMENT UNLOCKED!! DISCOVERY OF MANA
実績解除!!　マナの発見
ボーナスレベル、付与します。AccessLV……1……2……4……8……16になりました。引き続き、ゲームをお楽しみください。但馬　波留　さん　新世界へようこそ！』

見上げれば夜空には、二つの月が昇っていた。

剣と魔法が支配するファンタジーな世界だ。

まるでゲームみたいだなと思っていた。

夜の砂浜でその片鱗を垣間見て、大爆笑した覚えがある。

でも、今はちっとも笑えない。

但馬はアナスタシアの頬を撫でて、彼女がそこにいるという感触を確かめると、その手でポンポンと頭を叩いてから、どさっとソファに倒れこんだ。そこで寝ようとしていた彼女から抗議の声が上がったが、その内容は覚えちゃいないし、返事も出来やしなかった。

あの日、あの海岸に放り出された時でさえ感じなかった、猛烈な不安がどっと押し寄せてくる……自分は一体、これからどうなってしまうのだろうか。

但馬は頭を抱えて丸くなった。

新しい生活が、今、始まったのだ。

あとがき

おかしい……つい最近まで単行本一巻の作業を進めていたはずなのに、どうして俺は二巻のあとがきを書いてるんだろうか。お久しぶりです。作者です。皆様いかがお過ごしでしたでしょうか。いや、久しぶりってほどでもないですか。なんか爆速で二巻が出ちゃって、今少々面食らっているところです。

しかし、四ヶ月って結構な刊行ペースだと思うのですが、調べてみたらラノベ界隈だとこれくらい普通なんだそうですね。しかもみんな私とは違って書き溜めは無く、ゼロから書いてそれなんだから、よく続けられるなって驚きました。でも、思い返せばこの作品も、二〇一六年の投稿時にはそれを上回る速度で書いていたんだから、案外そんなものなのかも知れません。寧ろ、あれから八年も経過していることを思えば遅すぎるのかも。

光陰矢の如し。年月は過ぎてしまえば本当にあっという間のことでした。

ところで八年も経てば世の中も様変わりするもので、この出版作業の最中にも、いろいろな出来事がありました。

実は校正原稿でも注意書きされてたんですが、作中でアーニャちゃんが「アンナじゃなくて、アナスタシア」と口癖のように言うのはどういう意味か？　ってのは、もちろん元ネタがあって、これは当時作者がやってたソシャゲ、アイドルマスター・シンデレラガールズ（通称モバマス）から来てるんですね。

　知ってる人は知ってるでしょうが、モバマスにはアナスタシアってアイドルが存在して、初登場時には自分のことをアーニャと呼べと自己紹介するんです。ところが彼女の母国のロシアでは、実はそれって一般的じゃないそうで（アーニャはアンナの愛称らしい）、当時そのことを掲示板とかでよくネタにされてて、それを読んだ私が何も考えずに自分の小説に導入したのが、あの口癖でした。今となっては何だこれは？　って感じでしょうが、当時はそれで通じたんですよ。

　しかし、元祖札束で殴り合うハートフルゲームとして隆盛を極めたモバマスも、つい昨年にサービスを終了してしまい、今となっては話題に登ることも少なくなりました。あんなに担当アイドルのことを熱く語り合っていたプロデューサーたちは、今頃なにしてるんでしょうかね。ウマ娘ですかね。

　だから時事ネタはやめろと散々言われてるわけですが、結局のところ小説ってのは、作者の知識の限界を超えることは絶対出来ないわけですから、ネタに詰まったときに一番頼りになるのはやっぱり時事ネタなんですよね。だからこれからも、たびたび謎の時事ネタが出てくるかも知れませんが、そのときは笑って許してやってください。

ところで作者の知識の限界といえば、今回それで大きな変更を施した箇所がありました。ウェブ版も読んでくれている方なら、もしかして気づかれたかも知れませんが、リディア軍の出陣式でシモンが演奏するのが、イギリス軍歌からフランス軍歌に変わっているんですね。

なんでかと言うと、当時の私はマーチといえばメフテルハーネかブリティッシュ・グレナディアーズくらいしか知らなかったのですが、その後、某戦車道のアニメを見て、フランスの軍歌に「玉葱の歌」ってのがあると知ってしまったんですね。クラリネット壊しちゃったで有名なあれです。

まさか、こんなうってつけの歌があったなんて当時の私は知らず、何も考えずにイギリスの軍歌を採用してしまったわけですが、数年後にこれを知って、しまったなあってずっと思っていたんです。

それで今回、単行本化を機に思い切って変えてみたんですが、どうですかね。こっちの方がより印象的になったかなと思うのですが。

とまあ、とりとめのない話を続けてきましたが……さて、玉葱とクラリオン第二巻、いかがでしたでしょうか。

物語はようやく序盤を終えて、但馬も腹を据えてこれから本格的に異世界生活をスタートするぞという場面で、ちょっと気になる現象が起きて今回は幕を引いたわけですが……次巻はその謎を解き明かすべく大冒険が始まる……わけではなく、まだ金儲けのためのドタバタな日常が続いてると思いますが、そんな異邦人但馬の泥臭く足掻く姿を、よかったらまた読んでやってください。

因みに、オリジナルのウェブ版では、現在おまけのアフターストーリーを投稿していますので、ご興味のあられる方はそちらの方も是非ご覧になっていただければ幸いです。

最後になりましたが、イラストレーターの黒田ヱリ先生には、今回も素敵なイラストを提供していただき、誠にありがとうございました。忙しい中、最速で絵を上げていただいて感謝の念に堪えません。また編集者の木下さんにはいつもお世話になっております。お陰様で二巻もこうして出せました。これからもご指導のほどよろしくお願いいたします。

そして、すべての読者様に、この度はこの本を手にとっていただきありがとうございました。これからも物語がより良くなるよう努力していきますので、最後までお付き合いいただければ作者冥利に尽きます。またお会いできましたなら。

コミカライズ版
ブチ切れ令嬢は報復を誓いました。
―魔導書の力で祖国を叩き潰します―
8
漫画 おおのいも
原作 はぐれメタボ
キャラクター原案 昌末

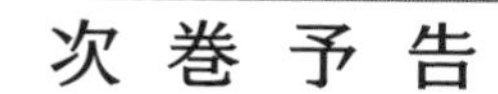

雷龍の角を武器に加工するため
エリーはドワーフの街へ！

大逆転
復讐ざまぁファンタジー、
第6弾!!

2024年発売予定!!

著／保利亮太
イラスト／bob
ローゼリア王国を
手に入れた
御子柴亮真の
躍進は続く――。
2024年春発売予定！

コミック版も好評連載中！
漫画：八木ゆかり
原作：保利亮太
キャラクター原案：bob
コミックス
⑪～⑩巻発売中!!
ファイアクロス公式サイト
firecross.jp
ウォルテニア戦記XXVII

邪神の使徒たちの動きに
後手に回っていた冬夜たちだが、
ついに方舟の位置を捕えることに成功した。
フォンとともに。30
2024年春頃発売予定！

ここから反撃開始の
強襲作戦が
始動する――!!
異世界はスマートフォンとともに。
冬原パトラ
illustration■兎塚エイジ

親睦の祝宴をきっかけに、ついに森辺の若者たちが
ユーミ主催で宿場町に降りることに。これまで以上の交流を
深める場では、街中を案内されたり森辺にはない
様々な遊戯を学んだりと、まだまだアスタたちの知らない事ばかり。
そうして、両者の繋がりが深まったタイミングで、
一年ぶりの家長会議が開かれて——

Author EDA　Illust. こちも

異世界料理道 VOLUME 33

Cooking with wild game.

アスタのこれまでの頑張りが
裁定される第33弾！
2024年
春ごろ発売予定！

HJ NOVELS
HJN80-02

玉葱とクラリオン2
詐欺師から始める成り上がり英雄譚

2024年2月19日　初版発行

著者——水月一人

発行者—松下大介
発行所—株式会社ホビージャパン
〒151-0053
東京都渋谷区代々木2-15-8
電話　03(5304)7604（編集）
03(5304)9112（営業）

印刷所——大日本印刷株式会社

装丁—— 木村デザイン・ラボ／株式会社エストール

ISBN978-4-7986-3415-9　C0076

ファンレター、作品のご感想お待ちしております
〒151－0053　東京都渋谷区代々木2－15－8
(株)ホビージャパン HJノベルス編集部 気付
水月一人 先生／黒田ヱリ 先生